Le Chien

Le Chien

Guide des animaux

Edward Banks

ELCy
EDITIONS

© **Elcy Éditions pour la version française**

Réalisation : InTexte Édition
Traduction de l'anglais : Marion Villain

© Igloo Books Ltd
Cottage Farm – Sywell
NN6 0BJ

Conception graphique
THE BRIDGEWATER BOOK COMPANY

ISBN : 978-2-7532-0160-6

Achevé d'imprimer : septembre 2009
Dépôt légal : 3ᵉ trimestre 2009

Imprimé en Chine
Tous droits réservés

Crédits photographiques
Istock/Eric Isselée, 10, 41, 51, 59, 65, 77, 82, 95, 107, 110, 119, 121, 127, 143, 144 and 148 ; Istock/Mark Coffey, 11 ; Istock/Carl Durocher, 15 ; Istock/Richard Paul, 23 ; Istock/James G. Charron, 28 ; Istock, 33, 57, 63, 85 and 156 ; Istock/Laila Kazakevica, 35 ; Istock/Nikita Tiunov, 38 ; Istock/Emmanuelle Bonzami, 39 et 53 ; Istock/Jan Bily, 42 ; Istock/Phillip Jones, 43 ; Istock/Natasha Litova, 73 ; Istock/James Pauls, 81 ; Istock/ Brenda McEwan, 87 ; Istock/ Geoff Hardy, 97 ; Istock/Gord Horne, 99 ; Istock/Mark Hatfield, 101 ; Istock/Doug Miller, 102 ; Istock/Ferenc Szelepcsenyi, 103 ; Istock/Lily Rosen-Zohar, 109 ; Istock/Ken Hurst, 111 ; Istock/Annette Shaff, 117 ; Istock/Nikolay Titov, 123 ; Istock/Marcandrea Bragalini, 127 ; Istock/ Monika Wisniewska, 137 ; Istock/Kevin Russ, 141 ; Istock/Brendan MacRae, 142 ; Istock/Graça Victoria, 145 ; Istock/Curt Pickens, 147 ; Istock/Rick Orrell, 157 ; Istock/Jill Fromer, 159 et Marc Henri 12, 13, 20, 21, 24, 25, 27, 29, 36, 37, 44, 45, 46, 47, 55, 58, 64, 66, 67, 71, 83, 84, 88, 89, 90, 91, 105, 106, 113, 124, 125, 129, 130, 131, 132, 133, 149, 151, 152, 153, 158.

Remerciements à Marc Henrie pour ses conseils.

Sommaire

Introduction

Avant de choisir un chien, vous devez réfléchir au rôle que vous voulez qu'il joue dans votre vie. Souhaitez-vous un animal de compagnie robuste pour toute la famille, un partenaire de jogging pour partager votre amour du sport ou un minuscule et adorable animal qui se blottira sur vos genoux dans le canapé ? Quelles que soient vos envies, il existe une race de chien qui vous correspond et vous trouverez sûrement votre compagnon idéal parmi les 100 races présentées dans cet ouvrage.

Dans les chapitres qui suivent, les races sont classées selon les grands groupes dans lesquels elles sont présentées dans les expositions canines. Ils correspondent en substance au travail pour lequel le chien a été créé à l'origine – chiens de berger, terriers, chiens d'agrément, etc. – et l'appartenance d'un chien à un groupe vous en dit déjà long sur ses caractéristiques. Un chien de berger, suffisamment robuste pour travailler avec des moutons ou des vaches toute la journée, un border collie par exemple, est susceptible d'avoir besoin de beaucoup d'exercice et de stimulation mentale : vous savez immédiatement qu'il ne sera pas heureux sans activité pour l'occuper. À l'inverse, un chien d'agrément, un carlin par exemple, élevé pendant de nombreuses générations pour être exclusivement un chien de salon et de compagnie, est susceptible de requérir plus de compagnie que n'importe quel autre chien. Le dernier chapitre vous offre un aperçu de quelques « nouvelles » races, c'est-à-dire des races récentes issues de croisements comme le labradoodle et le cockapoo, qui sont devenues tellement populaires qu'elles pourraient s'établir et devenir des races indépendantes à part entière. Les puristes peuvent avoir le sentiment qu'il ne s'agit pas de « vraies » races, mais il faut bien garder en tête que toutes les races de chien figurant dans les catégories d'exposition établies ont débuté par un croisement entre deux types différents.

D'autres facteurs doivent être pris en compte lorsque vous faites votre choix. Certains sont évidents : quelle taille atteindra votre chien ? De quelle dose d'exercice a-t-il besoin ? Mais d'autres le sont beaucoup moins. Certaines races sont plus vigoureuses que d'autres, certaines ne sont pas des compagnons adaptés pour les jeunes enfants. Certains chiens sont merveilleux une fois adultes mais ont une adolescence très longue. Chaque race est source de plaisirs à sa manière et chacune possède un maître idéal, les informations données ici sont organisées de telle manière à vous aider à choisir le profil de chien qui correspondra au mieux à votre mode de vie et garantira que votre animal sera aussi heureux avec vous que lui avec vous.

N'oubliez pas de penser à d'autres facteurs moins basiques : en plus de la nourriture, de l'exercice et de la compagnie, tous les chiens ont besoin de soins vétérinaires, notamment de vaccinations et de visites de contrôle régulières, et certaines races requièrent également les services d'un toiletteur professionnel. Une fois que vous avez pesé le pour et le contre et savez le chien qu'il vous faut, mettez-vous en quête d'un éleveur réputé et « réservez-lui » un chiot. Il n'est pas conseillé d'acheter votre chien dans une animalerie – un grand nombre de leurs chiots proviennent de fermes d'élevage

qui peuvent non seulement faire preuve de cruauté envers les animaux mais également présenter un risque plus élevé de problèmes de santé et de comportement. Si vous pouvez vous satisfaire d'un adulte, adressez-vous à l'association de sauvetage de la race que vous avez choisie, ses services auront examiné tous les chiens qu'elle vous proposera à l'adoption.

Acheter un chien est une décision importante. Tous les chiens de notre liste de races sont décrits en détail, vous donnant non seulement des informations sur leur apparence physique mais aussi sur leurs besoins en exercice et en dressage tout en prenant en compte ce que vous, en tant que maître, pouvez lui offrir.

Toutes les races connaissent certains problèmes de santé – la sélection de caractéristiques spécifiques dans l'élevage peut de plus encourager une prédisposition à certaines maladies. Cette section vous fournit un aperçu pragmatique des problèmes de santé que la race que vous avez sélectionnée peut rencontrer, non pas pour vous dissuader de choisir le chien en question, mais pour être certain que vous serez pleinement informé quand vous vous adresserez à un éleveur.

Liste des qualités que vous devez posséder pour bien vous entendre avec cette race.

Les paragraphes sur la taille, la silhouette et la robe couvrent les données basiques concernant le chien et en établissent un portrait rapide.

Analyse des traits physiques typiques du chien.

Résumé des origines et de l'histoire de la race – où et comment elle est apparue –, et description de son caractère.

Informations clés que vous devez connaître sur l'entretien de ce chien, sur une échelle de une à cinq empreintes de pattes. Une empreinte indique que le chien ne requiert pas beaucoup d'exercice ou de toilettage, qu'il est facile à éduquer et coûte peu d'argent en entretien. Cinq empreintes indiquent un très grand besoin d'exercice, beaucoup de toilettage, sans doute professionnel, que le chien est difficile à dresser et qu'il vous coûtera cher. Cette échelle vous donne une idée de ce à quoi vous vous engagez.z

Chiens de chasse

Ce chapitre présente les chiens qui ont été initialement élevés pour trouver et rapporter le gibier et comprend les pointers, les épagneuls, les retrievers et les setters, de toutes les tailles. Néanmoins, la majorité des races figurant dans les pages suivantes ont en commun d'être pour la plupart assez faciles à éduquer et de faire des animaux de compagnie vifs et énergiques. Compte tenu de leur constitution génétique, ces chiens ont en général besoin de beaucoup se dépenser et de profiter de moments d'interaction en tête à tête avec leurs maîtres.

Cocker spaniel

CARACTÉRISTIQUES

TAILLE Mâle, hauteur au garrot 38 cm ; femelle 36 cm

SILHOUETTE Le pelage flottant et le regard expressif cachent un petit chien compact et robuste.

ROBE Le long pelage soyeux requiert un entretien régulier pour rester beau. La couleur de la robe peut être unie – noire, crème, marron ou roux –, ou bicolore (n'importe laquelle des teintes mentionnées précédemment associée au blanc).

SANTÉ DE LA RACE La popularité du cocker a entraîné un élevage intensif qui a causé une vaste gamme d'anomalies génétiques possibles. Si vous achetez votre chien chez un éleveur, vérifiez que les géniteurs sont exempts de ces maladies.

LE PROPRIÉTAIRE DOIT... avoir beaucoup de temps pour satisfaire les besoins importants du chien en matière de toilettage.

Le somptueux pelage du cocker typique dissimule un tempérament énergique et vif, raison pour laquelle ce chien était à l'origine élevé pour la chasse (cocker vient du mot anglais *woodcock* qui signifie bécasse, gibier rapporté par ce chien). Cet épagneul de taille moyenne que l'on croise aujourd'hui plus comme animal de compagnie que comme chien de travail, est joyeux et dévoué à sa famille. Ses besoins en exercice sont modérés et il s'entend en général bien avec les enfants, mais son pelage requiert beaucoup d'attention pour rester en parfaite condition.

YEUX Ronds et remplissant bien les orbites, marron foncé cerclés de noir. Le regard est vif, intelligent et attendrissant.

TÊTE Crâne délicatement arrondi, densément couvert de poils courts et fins.

OREILLES Longues, attachées au niveau des yeux et portant de belles franges de poils ondulés. Elles requièrent un entretien régulier pour éviter les infections.

PATTES Les pattes antérieures sont droites et puissantes, les coudes se trouvent directement sous le point le plus élevé des omoplates. Le dos du chien descend en pente douce vers les pattes postérieures musclées.

MÉMO   EXERCICE 🐾 🐾 🐾   ENTRETIEN 🐾 🐾 🐾 🐾   ÉDUCATION 🐾 🐾 🐾   PRIX DE REVIENT 🐾 🐾 🐾 🐾

Braque de Weimar

Intelligents, énergiques et indépendants, les braques de Weimar sont des chiens de chasse qui doivent leur nom à la région d'Allemagne dans laquelle la race a été créée. Ces chiens sont très populaires comme animaux de compagnie mais peuvent être difficiles à éduquer car, bien qu'ils soient intelligents, ils ne sont pas toujours disposés à se plier au programme imposé par les humains. Ils requièrent beaucoup d'exercice et d'attention de la part d'un maître dévoué.

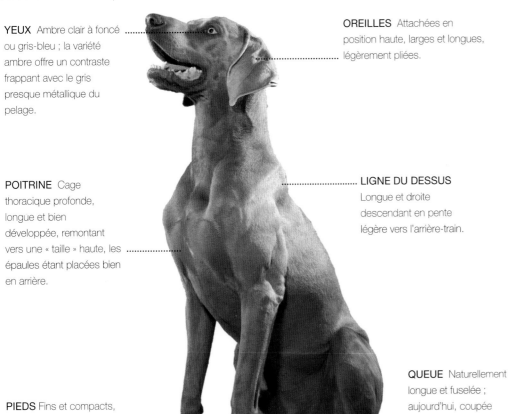

YEUX Ambre clair à foncé ou gris-bleu ; la variété ambre offre un contraste frappant avec le gris presque métallique du pelage.

OREILLES Attachées en position haute, larges et longues, légèrement pliées.

POITRINE Cage thoracique profonde, longue et bien développée, remontant vers une « taille » haute, les épaules étant placées bien en arrière.

LIGNE DU DESSUS Longue et droite descendant en pente légère vers l'arrière-train.

QUEUE Naturellement longue et fuselée ; aujourd'hui, coupée uniquement sur les chiens de travail en activité.

PIEDS Fins et compacts, présence de palmures entre les orteils bien cambrés.

CARACTÉRISTIQUES

TAILLE Mâle, hauteur au garrot 63-69 cm ; femelle, hauteur au garrot 58-63 cm.

SILHOUETTE Chien de chasse dynamique et alerte aux formes bien dessinées et élégantes et à la robe d'une magnifique couleur.

ROBE Pelage fin, dense et court de couleur gris uni ; les nuances peuvent aller de l'argenté à un acier plus foncé.

SANTÉ DE LA RACE Race résistante sans beaucoup de problèmes génétiques, mais légère prédisposition héréditaire à la dysplasie de la hanche.

LE PROPRIÉTAIRE DOIT... avoir de la patience pour éduquer correctement et totalement son braque de Weimar, ainsi que beaucoup de temps à lui consacrer. Le braque de Weimar n'aime pas rester seul et a tendance à développer des liens étroits avec ses maîtres.

MÉMO **EXERCICE** 🐾 🐾 🐾 🐾   **ENTRETIEN** 🐾 🐾   **ÉDUCATION** 🐾 🐾 🐾   **PRIX DE REVIENT** 🐾 🐾

Clumber spaniel

CARACTÉRISTIQUES

TAILLE Mâle, hauteur au garrot 46-51 cm ; femelle, hauteur au garrot 43-48 cm.

SILHOUETTE Épagneul long et bas à l'apparence robuste, très digne et imposante.

ROBE Texture soyeuse, très dense et plate, sans boucles. Pelage blanc, généralement avec des marques citron clair autour de la tête, bien que des taches d'une teinte plus foncée ou orange soient acceptées dans les standards de la race.

SANTÉ DE LA RACE Bonne en général, quelques cas de dysplasie de la hanche, de problèmes de dos et de cils incarnés.

LE PROPRIÉTAIRE DOIT... avoir beaucoup d'énergie pour accompagner son chien lors de longues promenades et être préparé à passer beaucoup de temps à toiletter son pelage soyeux.

Le clumber spaniel, le plus lourd de tous les épagneuls, fut créé par le croisement d'un basset avec une forme aujourd'hui disparue d'épagneul natif des Alpes. Son nom vient de la résidence du duc de Newcastle, Clumber Park, où ces chiens étaient élevés au début du XIXe siècle. La race est aujourd'hui relativement rare en dehors des terrains de chasse et des expositions. Le clumber spaniel est un excellent chien de travail et fait un animal de compagnie robuste et fiable au tempérament équilibré. Il a besoin de beaucoup d'exercice pour rester en forme.

QUEUE Encore fréquemment écourtée chez les chiens de travail. Laissée à l'état naturel, elle est de longueur moyenne et portée au même niveau que la ligne du dos ou légèrement plus haut.

LIGNE DU DESSUS Cou long et puissant descendant en pente douce vers le dos droit, large et plat.

YEUX En forme de diamant, de couleur ambre foncé et enfoncés dans les orbites, expression plutôt implorante que dément le tempérament confiant et joyeux de ce chien.

PATTES Puissantes avec une forte ossature, densément couvertes d'un pelage épais et soyeux.

TÊTE Carrée et robuste, avec un crâne large et plat et un museau inhabituellement lourd et parsemé de taches citron.

MÉMO   EXERCICE ✿ ✿ ✿ ✿   ENTRETIEN ✿ ✿ ✿ ✿   ÉDUCATION ✿ ✿ ✿   PRIX DE REVIENT ✿ ✿ ✿

Retriever de la baie de Chesapeake

Apparu dans la région de la baie de Chesapeake dans le Maryland aux États-Unis, ce retriever intrépide est un robuste nageur et un travailleur infatigable. Il descend probablement de croisements entre des terre-neuve, des chiens de loutre et d'autres types de retriever. Développé pour chasser le gibier d'eau, il est aujourd'hui encore beaucoup plus fréquent comme chien de travail que comme animal de compagnie bien qu'il partage le tempérament joyeux, vif et sensible de certaines autres races de retriever plus populaires.

CARACTÉRISTIQUES

TAILLE Mâle, hauteur au garrot, 58-66 cm ; femelle, hauteur au garrot 53-61 cm.

SILHOUETTE Robuste et bien équilibrée avec une cage thoracique profonde et une tête carrée au museau s'amenuisant en pointe large.

ROBE Pelage double, le poil de couverture est ondulé, huileux ; le sous-poil est dense et laineux. Couleur brun uni, du fauve foncé au châtaigne profond.

SANTÉ DE LA RACE Généralement bonne mais tendance à la myélopathie dégénérative, affection qui touche la fonction des membres postérieurs. Avant d'acheter un chien, vérifiez que ses géniteurs sont exempts de cette maladie.

LE PROPRIÉTAIRE DOIT... Ces chiens obtiennent de bons résultats dans les concours d'obéissance et les field trials mais ont beaucoup d'énergie et doivent être stimulés par des exercices réguliers et nombreux.

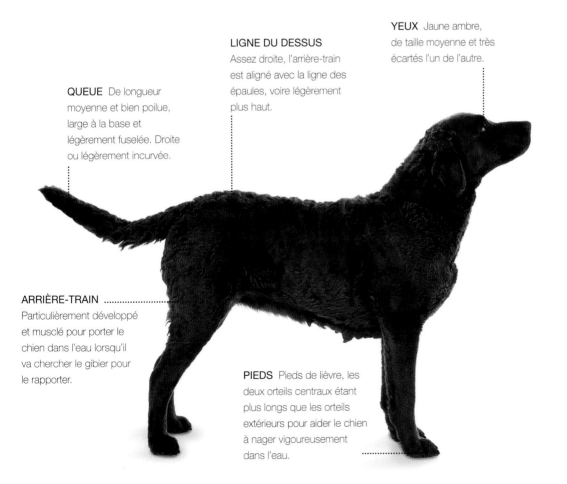

LIGNE DU DESSUS Assez droite, l'arrière-train est aligné avec la ligne des épaules, voire légèrement plus haut.

YEUX Jaune ambre, de taille moyenne et très écartés l'un de l'autre.

QUEUE De longueur moyenne et bien poilue, large à la base et légèrement fuselée. Droite ou légèrement incurvée.

ARRIÈRE-TRAIN Particulièrement développé et musclé pour porter le chien dans l'eau lorsqu'il va chercher le gibier pour le rapporter.

PIEDS Pieds de lièvre, les deux orteils centraux étant plus longs que les orteils extérieurs pour aider le chien à nager vigoureusement dans l'eau.

MÉMO   **EXERCICE** 🐾🐾🐾🐾   **ENTRETIEN** 🐾🐾🐾   **ÉDUCATION** 🐾🐾🐾   **PRIX DE REVIENT** 🐾🐾

Golden retriever

CARACTÉRISTIQUES

TAILLE Mâle, hauteur au garrot, 58-61 cm ; femelle, hauteur au garrot, 54-57 cm.

SILHOUETTE Retriever imposant, symétrique et actif à la silhouette élégante et équilibrée.

ROBE Pelage double avec un poil de couverture imposant et imperméable et un sous-poil serré, plus doux. Les poils sont de longueur moyenne et peuvent être raides ou légèrement ondulés ; la robe est de couleur doré uni bien qu'elle puisse aller d'un or pâle crémeux à un jaune doré très intense.

SANTÉ DE LA RACE Généralement bonne avec une prédisposition génétique à la dysplasie de la hanche et du coude ainsi qu'à une variété d'affections oculaires.

LE PROPRIÉTAIRE DOIT... Acheter son chiot chez un éleveur réputé et vérifier son pedigree, pour les maladies génétiques. Les golden retrievers au pedigree défaillant peuvent avoir mauvais caractère et être difficiles à éduquer. Il s'agit d'une race dynamique qui a besoin de sortir régulièrement, d'être éduquée et de faire beaucoup d'exercice.

Malgré une légende romantique selon laquelle le golden retriever descendrait d'une troupe de chiens de cirque russes, la vérité est plus prosaïque et veut qu'il ait été créé dans la résidence écossaise de Lord Tweedmouth au milieu du XIXe siècle en croisant des épagneuls et des retrievers. Le résultat obtenu rencontra un succès qui dépassa de loin les rêves des éleveurs : un chien domestique et de compagnie incroyablement populaire qui sait rester utile et actif dans son rôle initial de chasseur.

Grâce à son pelage flottant et ondulé, à son expression bonhomme et posée ainsi qu'à sa joie de vivre, le golden retriever, le plus attirant de tous les retrievers, a rapidement conquis le cœur de nombreuses personnes en dehors de l'univers de la chasse. Depuis sa première inscription au registre de l'American Kennel Club en 1894 et du Kennel Club of England en 1903, sa popularité a augmenté rapidement. Avec leur tempérament calme et pondéré, ces chiens ont rapidement prouvé qu'ils pouvaient facilement être dressés comme chiens d'aveugle ou pour des opérations de sauvetage.

Cependant, les golden retrievers chiots peuvent être turbulents, certains ont une adolescence très longue qui peut se prolonger largement jusqu'à leur troisième année. Par ailleurs, la grande popularité de la race a entraîné son exploitation et son élevage pour l'argent ; en conséquence, il est primordial de s'adresser à un éleveur réputé, voire une association de sauvetage, si vous envisagez

d'acheter un chien de cette race : c'est le seul moyen d'éliminer certaines des lignées les plus faibles. Le golden retriever adulte, éduqué correctement, est vif mais prévenant – énergique, joueur et très avenant.

Naturellement plein d'entrain, le golden retriever aime également faire plaisir et répondra bien à l'éducation bien que le dresseur ait besoin de patience pour faire entrer des idées dans la tête du golden retriever chiot qui est certes intelligent mais tout-fou et un peu surexcité. Ce chien s'entend en général bien avec tout le monde – il est affectueux avec ses maîtres, gentil et joueur avec les enfants et conciliant avec les autres chiens et animaux domestiques qu'il les connaisse ou non.

Comme on peut s'y attendre chez un chien rapporteur de gibier d'eau, le golden retriever adore jouer dans l'eau et a besoin d'exercice régulier. Ses maîtres doivent être préparés à l'emmener fréquemment en longues promenades.

OREILLES Fixées juste au-dessus du niveau des yeux, très mobiles à la base et retombant légèrement vers l'avant le long des joues.

YEUX De forme ovale et plutôt larges, généralement marron foncé bien qu'une teinte noisette plus claire apparaisse parfois. Le bord des paupières est toujours foncé. ....

TÊTE Bien dessinée et .... large au sommet du crâne avec un stop marqué entre le haut du visage et le museau. Ce dernier est large et plutôt long ; la truffe est grosse et doit être noire ou marron très foncé.

POITRINE Bien développée et profonde mais pas particulièrement large, avec un « redressement » derrière la cage thoracique, donnant au chien une « taille » marquée.

LIGNE DU DESSUS .... Horizontale à partir de la base d'un cou puissant, avec une courbe très légère vers le bas juste avant la queue.

QUEUE Large à la base et densément poilue. Portée en une courbe souple légèrement plus haut que la ligne du dessus du dos du chien.

PATTES Musclées et bien développées ; les pattes avant sont droites et ont une bonne ossature, les pattes arrières sont puissantes et modérément arquées. Les pieds sont de taille moyenne avec des coussinets compacts et épais.

MÉMO   **EXERCICE** 🐾 🐾 🐾 🐾   **ENTRETIEN** 🐾 🐾 🐾   **ÉDUCATION** 🐾 🐾   **PRIX DE REVIENT** 🐾 🐾 🐾

Labrador retriever

CARACTÉRISTIQUES

TAILLE Mâle, hauteur au garrot, 57-62 cm ; femelle, hauteur au garrot 55,5-60 cm. Les lignées européennes et américaines de cette race s'éloignent progressivement l'une de l'autre, le labrador américain étant aujourd'hui en général le plus grand des deux.

SILHOUETTE Chien de taille moyenne, fortement charpenté avec une belle tête bien dessinée et une queue dite de « loutre » caractéristique.

ROBE Pelage double et dur, le poil de couverture est court, dressé et épais, le sous-poil est plus doux et très court. La robe du labrador retriever peut être entièrement noire, chocolat ou jaune (crème foncé à jaune roux).

SANTÉ DE LA RACE En général bonne, mais prédispositions à certaines maladies, notamment dysplasie de la hanche et du coude, dystrophie musculaire, torsion-dilatation de l'estomac et certaines affections oculaires. L'offre en chiots est grande mais il est conseillé de s'adresser à des éleveurs réputés et bien établis de sorte que les acheteurs peuvent être certains que les géniteurs ont été sélectionnés et sont exempts de ces maladies.

LE PROPRIÉTAIRE DOIT... avoir beaucoup de temps pour éduquer ce chien énergique et enthousiaste et lui faire faire de l'exercice. Les labradors n'aiment pas rester seuls pendant longtemps et veulent être traités comme des membres à part entière de « leur » famille.

Le labrador retriever, aujourd'hui animal de compagnie très répandu et populaire, a été initialement créé comme un chien d'eau et était utilisé par les pêcheurs de Terre-Neuve, d'où il est originaire, pour sortir leurs filets de l'eau. Après qu'elle eut été importée en Angleterre au milieu du XIXᵉ siècle, la race a rapidement fait ses preuves comme chien de chasse, travaillant dans l'eau et sur terre.

Le labrador est l'une des races les plus populaires comme animal de compagnie car il est littéralement fait pour ce rôle. Les qualités qui font de lui un chien de travail tant estimé – un tempérament pondéré, une grande prédisposition pour l'apprentissage et une attitude joyeuse et enthousiaste – sont tout aussi appréciables dans le cadre domestique.

Les labradors chiots sont extrêmement vifs et turbulents et il faut parfois attendre jusqu'à leur deuxième année pour qu'ils soient adultes. Malgré tout, les labradors ne sont en général pas difficiles à éduquer ; naturellement dociles et désireux de plaire à leurs maîtres, même les jeunes labradors très dynamiques répondront bien à un dressage cohérent et positif. Ce chien fait aussi un merveilleux compagnon de jeu pour les enfants suffisamment âgés pour résister à ses assauts, bien qu'il soit trop grand et trop maladroit pour jouer sans surveillance avec des tout-petits. De même, il ne représente pas un choix astucieux pour les personnes très âgées qui pourraient ne pas avoir assez de force pour contrer son exubérance toute dépourvue de mauvaises intentions.

Par nature, les labradors ne sont pas des chiens très exigeants, mais ils sont très actifs et ont également tendance à prendre du poids – presque tous les labradors aiment manger. En conséquence, ces chiens doivent pouvoir faire beaucoup d'exercice et leur alimentation doit être surveillée pour qu'ils restent en forme et en bonne santé. Les labradors adorent nager, ce qui n'est pas surprenant compte tenu de leurs origines, et saisiront toutes les occasions d'aller « chasser » dans n'importe quelle étendue d'eau, que ce soit la mer ou tout au plus une grande flaque.

Aujourd'hui, la grande majorité des labradors retrievers possèdent une robe jaune bien que le labrador originel soit entièrement noir, il existe par ailleurs une variété chocolat uni. Le pelage ne requiert pas un brossage régulier car ce chien perd relativement beaucoup de poils, en particulier au printemps et à l'automne.

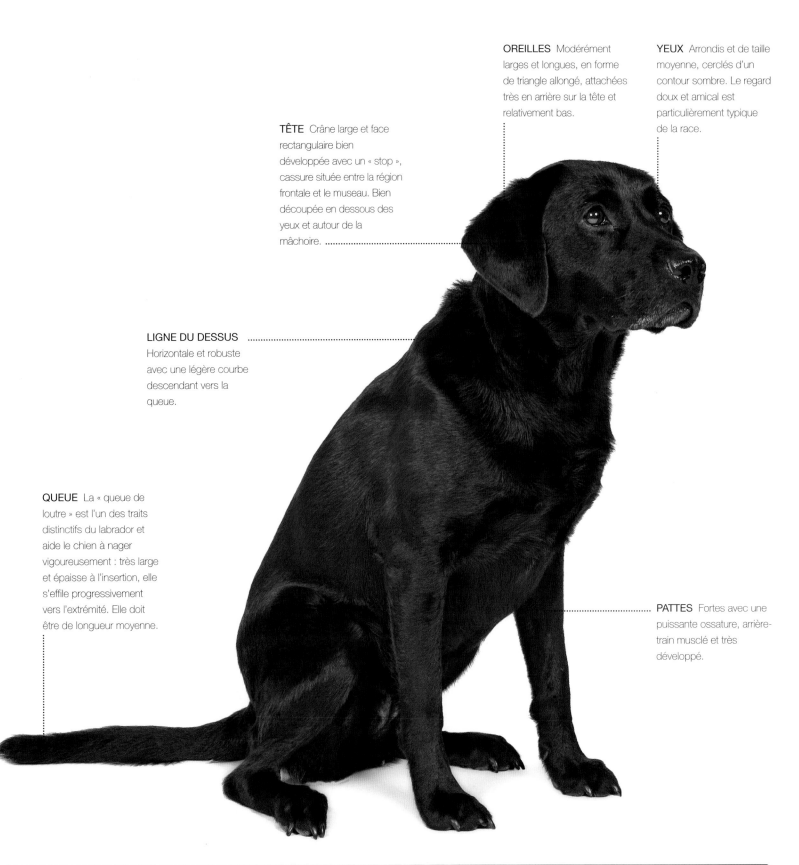

OREILLES Modérément larges et longues, en forme de triangle allongé, attachées très en arrière sur la tête et relativement bas.

YEUX Arrondis et de taille moyenne, cerclés d'un contour sombre. Le regard doux et amical est particulièrement typique de la race.

TÊTE Crâne large et face rectangulaire bien développée avec un « stop », cassure située entre la région frontale et le museau. Bien découpée en dessous des yeux et autour de la mâchoire.

LIGNE DU DESSUS Horizontale et robuste avec une légère courbe descendant vers la queue.

QUEUE La « queue de loutre » est l'un des traits distinctifs du labrador et aide le chien à nager vigoureusement : très large et épaisse à l'insertion, elle s'effile progressivement vers l'extrémité. Elle doit être de longueur moyenne.

PATTES Fortes avec une puissante ossature, arrière-train musclé et très développé.

MÉMO   **EXERCICE** 🐾🐾🐾🐾   **ENTRETIEN** 🐾🐾🐾   **ÉDUCATION** 🐾🐾   **PRIX DE REVIENT** 🐾🐾🐾

Springer anglais

CARACTÉRISTIQUES

🐾 **TAILLE** Mâle, hauteur au garrot, 48-53 cm ; femelle, hauteur au garrot, 46-51 cm.

🐾 **SILHOUETTE** Épagneul élégant, équilibré et imposant avec des pattes longues et un pelage droit.

🐾 **ROBE** Pelage double, le poil de couverture est de longueur moyenne, raide ou légèrement ondulé, très dense sur les pattes, les oreilles et la queue. Le springer anglais existe en une variété de couleurs, dont le noir ou foie avec des taches blanches ou le blanc avec des taches foie. On trouve aussi des robes tricolores (avec des petites taches feu), gris-bleu ou rouan foie (dans lesquelles il y a une épaisse diffusion de poils blancs dans la couleur principale du pelage).

🐾 **SANTÉ DE LA RACE** Généralement bonne mais une certaine tendance à la dysplasie de la hanche, aux allergies et à des affections oculaires ainsi qu'une prédisposition aux infections auriculaires.

🐾 **LE PROPRIÉTAIRE DOIT...** avoir une énergie sans bornes. Le springer anglais est un chien extrêmement dynamique avec un grand besoin d'exercice dont l'éducation requiert beaucoup de temps. Il nécessite aussi un toilettage régulier – il aime la boue et l'eau et est très sociable, ce qui signifie qu'il peut devenir assez salissant dans la maison.

Le springer anglais, aussi appelé english springer spaniel, est une race de chiens aux origines très anciennes – bien que les springers et les cockers ne fussent pas reconnus comme des races distinctes au XIXᵉ siècle, des chiens ressemblant beaucoup au springer anglais apparaissent sur des tableaux de chasse datant du début du XVIIIᵉ siècle.

En plus d'exceller dans les field trials, de travailler comme chien de chasse et d'obtenir de nombreuses distinctions dans les expositions, le springer anglais un animal de compagnie très apprécié au Royaume-Uni et gagne en notoriété en Europe et en Amérique du Nord.

Comme la plupart des épagneuls de terrain, ce chien très vif et extrêmement dynamique a besoin de beaucoup d'activité et de stimulation mentale pour déployer tout son potentiel. Les chiens de travail effectuent des exercices physiques et intellectuels réguliers sur le terrain, mais les propriétaires de chiens de compagnie doivent organiser la vie de leurs animaux de manière à ce qu'ils reçoivent la même « satisfaction au travail » dans leur vie quotidienne. De nombreuses personnes possédant des épagneuls de compagnie leur font faire de l'agility, de l'obéissance ou des field trials pour leur fournir la même expérience que les chiens de travail.

Le springer anglais se sentira au mieux dans une maison avec un accès à l'air libre ; il n'est pas conseillé de les élever en ville où les espaces ouverts sont rares ou dans un petit appartement.

Ce chien aime la compagnie des hommes et ne doit pas rester seul pendant longtemps – la solitude ou l'ennui peuvent causer une surexcitation ou une hyperactivité poussant les chiens à aboyer par distraction. Cependant, si l'on s'en occupe correctement, le springer anglais peut devenir un excellent animal de compagnie. Il s'entend en général très bien avec les enfants et semble comprendre instinctivement qu'il lui faut tempérer son caractère turbulent avec les tout-petits ; il ne demande spontanément qu'à faire plaisir.

En conséquence, même les chiots les plus jeunes sont attentifs lorsqu'on les éduque, bien qu'ils se laissent distraire facilement et le dressage peut alors durer relativement longtemps. Si cette étape prend du temps, l'intelligence naturelle et la joie de vivre du springer contribueront à ce qu'elle ne devienne pas une corvée trop contraignante.

YEUX Ovales, bien logés dans les orbites et de taille moyenne avec un contour foncé qui correspond à la couleur du pelage. Les yeux eux-mêmes sont marron voire noisette pour les plus clairs.

TÊTE Bien dessinée avec un stop prononcé entre le haut de la face et le museau. La truffe est noire ou marron d'une couleur qui correspond à celle du pelage.

OREILLES Longues, larges et fines, elles portent des franges fournies. Attachées assez bas sur la tête, elles tombent bien en dessous de la mâchoire du chien.

LIGNE DU DESSUS Descend doucement et régulièrement de la base du cou à l'insertion de la queue.

PATTES Cet épagneul possède des pattes relativement longues ; les pattes avant sont placées bien en dessous de la poitrine plutôt large.

PIEDS Compacts et ovales avec des coussinets bien remplis, serrés et adaptés pour couvrir les terrains difficiles.

Viszla

CARACTÉRISTIQUES

TAILLE Mâle, hauteur au garrot, 56-61 cm ; femelle, hauteur au garrot, 53-58 cm.

SILHOUETTE Le viszla présente une forte ressemblance avec son cousin allemand le braque de Weimar et possède le même corps musclé et sec que ce dernier.

ROBE Pelage court et dense de couleur rouille dorée uniforme. Le standard de la race autorise une petite « flamme » blanche sur le poitrail.

SANTÉ DE LA RACE Généralement bonne mais prédispositions à l'épilepsie (vérifiez les géniteurs) et à la dysplasie de la hanche.

LE PROPRIÉTAIRE DOIT... avoir beaucoup de temps à passer avec ce chien très dévoué. Le viszla a tendance à être le chien d'un seul maître et aime être proche de « son » être humain le plus souvent possible.

Le viszla, appelé aussi braque hongrois, est originaire de Hongrie et présente une ressemblance frappante avec le braque de Weimar bien qu'il soit un peu plus petit que ce dernier. Il n'était pas connu en dehors de son pays natal jusqu'à ce que des spécimens soient exportés vers d'autres régions d'Europe et aux États-Unis (où il a été présenté pour la première fois en 1960) après la Seconde Guerre mondiale. Comme chien de travail, il requiert un entraînement attentif et beaucoup d'exercice.

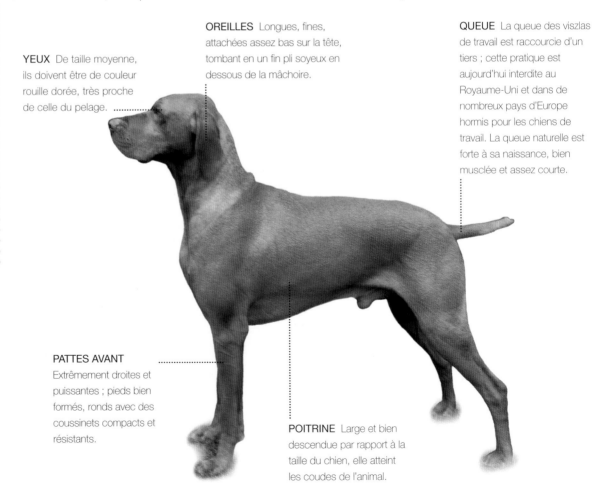

YEUX De taille moyenne, ils doivent être de couleur rouille dorée, très proche de celle du pelage.

OREILLES Longues, fines, attachées assez bas sur la tête, tombant en un fin pli soyeux en dessous de la mâchoire.

QUEUE La queue des viszlas de travail est raccourcie d'un tiers ; cette pratique est aujourd'hui interdite au Royaume-Uni et dans de nombreux pays d'Europe hormis pour les chiens de travail. La queue naturelle est forte à sa naissance, bien musclée et assez courte.

PATTES AVANT Extrêmement droites et puissantes ; pieds bien formés, ronds avec des coussinets compacts et résistants.

POITRINE Large et bien descendue par rapport à la taille du chien, elle atteint les coudes de l'animal.

MÉMO   EXERCICE 🐾🐾🐾🐾   ENTRETIEN 🐾   ÉDUCATION 🐾🐾🐾   PRIX DE REVIENT 🐾🐾🐾

Setter gordon

Le setter gordon, le plus grand de tous les setters, porte le nom du domaine écossais dans lequel il a été créé vers la fin du XVIIIe siècle, probablement en introduisant du sang de saint-hubert et de colley dans une lignée de setters standard. Aujourd'hui, le setter gordon est toujours un chien de chasse loyal, très endurant et infatigable sur le terrain mais il est aussi élevé comme chien de compagnie et est assez apprécié en Amérique du Nord. Le setter gordon est attaché à sa famille bien qu'il puisse se montrer réservé vis-à-vis des étrangers. Il a besoin de beaucoup d'exercice.

CARACTÉRISTIQUES

TAILLE Mâle, hauteur au garrot, 61-69 cm ; femelle, hauteur au garrot, 58-66 cm.

SILHOUETTE Beau chien de grande taille, trapu mais athlétique possédant l'apparence physique typique du setter.

ROBE Pelage doux et dense, de longueur moyenne, plutôt raide ou légèrement ondulé. La couleur du pelage est noire avec des marques feu au-dessus des yeux, sur le museau, la poitrine et l'arrière des pattes et sous la queue.

SANTÉ DE LA RACE Les setters gordon sont en général vigoureux mais présentent une prédisposition à la dysplasie de la hanche et à la torsion-dilatation de l'estomac.

LE PROPRIÉTAIRE DOIT... avoir suffisamment de temps pour éduquer ce chien relativement timide et doit soit l'utiliser comme chien de chasse soit lui permettre de faire beaucoup d'exercice – ce chien a besoin d'être actif.

TÊTE Arrondie sur le dessus et très profonde dans la mâchoire, avec une apparence carrée et angulaire.

QUEUE Courte par rapport à la taille du chien, très effilée et touffue, portée droite.

LIGNE DU DESSUS Longue et descendant en courbe légère vers la queue.

PATTES Puissantes avec une bonne ossature, densément poilues et portant une « culotte » de poils.

PIEDS Les pieds sont couverts de poils courts et ressemblent à ceux d'un chat : bien dessinés et compacts avec des coussinets profonds, épais et bien remplis.

Setter irlandais

CARACTÉRISTIQUES

TAILLE Mâle, hauteur au garrot, 66-71 cm ; femelle, hauteur au garrot, 61-66 cm.

SILHOUETTE Chien élégant et gracieux mais à l'allure puissante, particulièrement beau en mouvement.

ROBE Pelage court et fin sur le devant des pattes antérieures et la tête ; poils longs et ondulés sur le reste du corps. De couleur châtaigne ou acajou, avec parfois des petites marques blanches sur le poitrail et les pieds.

SANTÉ DE LA RACE Quelques prédispositions génétiques à la dysplasie de la hanche, à l'épilepsie et à la torsion-dilatation de l'estomac. Les setters irlandais peuvent également souffrir de diverses allergies cutanées.

LE PROPRIÉTAIRE DOIT... avoir beaucoup d'énergie et de temps à consacrer à l'entraînement et à l'éducation de ce chien très dynamique, ainsi qu'avoir accès à des espaces en plein air où l'animal pourra courir librement. Ce chien n'est pas fait pour vivre enfermé. Son pelage fin requiert également un toilettage régulier et attentif pour qu'il reste beau.

Le setter irlandais ou setter rouge est un véritable aristocrate parmi les chiens de chasse – avec son long pelage aux franges abondantes d'une étincelante teinte châtaigne, son port gracieux et ses mouvements tout en souplesse, il serait difficile d'imaginer chien plus magnifique. Et pourtant cette apparence raffinée peut être trompeuse : il s'agit d'une race dynamique, naturellement active et sociable qui a besoin de beaucoup d'exercice.

Comme chez toutes les races anciennes, les origines de ce chien suscitent bien des controverses – le setter irlandais était déjà un type établi au début du XIXe siècle et l'on pense qu'il a été créé à partir des premiers setters écossais croisés avec quelques pointers et épagneuls. Certains éleveurs pensent que des lévriers, peut-être des barzoïs, ont été introduits par la suite, donnant au setter irlandais ses lignes longilignes et inhabituellement gracieuses. Les premiers spécimens de la race étaient rouges et blancs et une variante appelée setter rouge et blanc, avec sa robe bicolore originelle, existe encore aujourd'hui bien qu'il soit très rare. Le setter irlandais s'était bien établi au début du XIXe siècle et était très populaire et efficace comme compagnon de chasse, chien d'arrêt et de rapport par excellence. Il est toujours réputé chez les chasseurs comme un travailleur volontaire et infatigable, tandis que sa beauté lui a assuré une demande élevée comme chien d'exposition. Son caractère enthousiaste et son énergie naturellement grande en ont également fait un animal de compagnie populaire.

Comme de nombreux autres chiens de travail, le setter irlandais a besoin que l'on s'occupe de lui et qu'on le stimule, à la fois intellectuellement et physiquement. En conséquence, ce chien n'est pas conseillé aux personnes ne disposant que d'un espace restreint ou de peu de temps à consacrer à leur animal. Les setters irlandais qui ne se dépensent pas assez peuvent devenir littéralement fous d'ennui – comme cet autre travailleur célèbre, le border collie, ils ont réellement besoin de « travailler ». Que cette occupation consiste en une dure journée de rapport du gibier sur le terrain ou une heure ou deux passées à jouer à rapporter un bâton importe peu – le setter irlandais fera preuve d'enthousiasme dans toutes les activités que vous suggérerez et peut en général se contenter de courir et jouer avec d'autres chiens. Cette race peut mûrir lentement et conserver un comportement de chiot exubérant jusqu'à 3 ou 4 ans.

TÊTE Fine et allongée, ovale sur le dessus jusqu'au crâne. Deux fois plus longue que la largeur entre les deux oreilles et délicatement dessinée autour du museau et de la ligne de la mâchoire.

OREILLES Longues et attachées bien en arrière sur la tête, en dessous de la ligne des yeux. Fines et soyeuses.

LIGNE DU DESSUS Ligne régulière sans angles prononcés, descendant doucement en courbe vers l'arrière-train.

QUEUE Forme une extension naturelle à la ligne du dessus, s'effilant à partir d'une base large et élégamment frangée.

POITRINE Bien descendue mais de largeur modérée de façon à ne pas entraver la liberté de mouvement vers l'avant.

ARRIÈRE-TRAIN Bien développé, puissant et très musclé ; ce chien est réputé pour son endurance par rapport aux autres chiens de chasse.

MÉMO   EXERCICE 🐾🐾🐾🐾🐾 ENTRETIEN 🐾🐾🐾   ÉDUCATION   🐾🐾🐾   PRIX DE REVIENT   🐾🐾🐾

Épagneul breton

CARACTÉRISTIQUES

TAILLE Mâle, hauteur au garrot, 48-53 cm ; femelle, hauteur au garrot, 43-48 cm.

SILHOUETTE Bien dessinée et compacte. Ce chien ressemble plus à un petit retriever qu'à un épagneul.

ROBE Épaisse, de longueur moyenne, lisse ou légèrement ondulée, orange et blanche ou marron et blanche. Une version noir et blanc est également acceptée au Royaume-Uni mais pas aux États-Unis.

SANTÉ DE LA RACE Race forte, saine et possédant souvent une longue espérance de vie mais légère prédisposition à l'épilepsie et à la dysplasie de la hanche.

LE PROPRIÉTAIRE DOIT... avoir beaucoup de temps à passer en tête-à-tête avec ce chien affectueux et posséder l'énergie nécessaire pour les longues promenades journalières. Une bonne quantité d'exercice permettra de maintenir l'équilibre de ce chien.

Ce chien est probablement originaire du nord de la France ou d'Espagne et a été sélectionné pour servir comme chien d'arrêt et de rapport. Son tempérament extraverti et sa gentillesse en ont fait un animal de compagnie très apprécié au cours des dernières années. Il a besoin de beaucoup d'exercice et n'aime en général pas rester seul. Il est intelligent et vif mais a la réputation d'être un peu lent à éduquer.

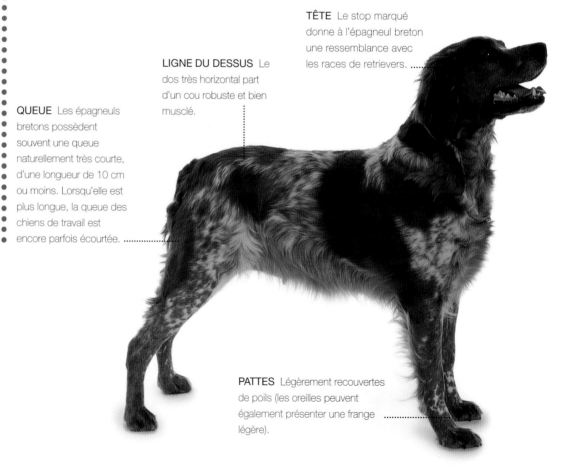

TÊTE Le stop marqué donne à l'épagneul breton une ressemblance avec les races de retrievers.

LIGNE DU DESSUS Le dos très horizontal part d'un cou robuste et bien musclé.

QUEUE Les épagneuls bretons possèdent souvent une queue naturellement très courte, d'une longueur de 10 cm ou moins. Lorsqu'elle est plus longue, la queue des chiens de travail est encore parfois écourtée.

PATTES Légèrement recouvertes de poils (les oreilles peuvent également présenter une frange légère).

MÉMO   **EXERCICE** 🐾🐾🐾🐾🐾 **ENTRETIEN** 🐾🐾🐾   **ÉDUCATION** 🐾🐾🐾🐾   **PRIX DE REVIENT** 🐾🐾

Épagneul d'eau irlandais

Ce grand chien à l'aspect inhabituel et au poil frisé sert à chasser le gibier d'eau dans son pays natal depuis le milieu du XIXᵉ siècle. Intelligent et très vif, il est avant tout un chien de travail capable d'allier à la perfection ce rôle à celui d'animal de compagnie. Chien actif qui a besoin de beaucoup d'exercice, l'épagneul d'eau irlandais ou irish water spaniel, a également obtenu de nombreuses distinctions dans les expositions de même que dans les concours d'agility et d'obéissance. Il ne demande qu'à faire plaisir et est facile à éduquer.

CARACTÉRISTIQUES

TAILLE Mâle, hauteur au garrot, 56-61 cm ; femelle, hauteur au garrot, 53-58 cm.

SILHOUETTE Compacte et esthétique rappelant le caniche, avec une expression enthousiaste et intrépide.

ROBE Pelage épais fait de boucles denses semblables à celles du caniche standard, de couleur foie foncé avec un sous-poil plus doux sur tout le corps à l'exception du museau et de la queue.

SANTÉ DE LA RACE Une sélection rigoureuse a conféré une excellente santé à ce chien et les prédispositions et affections héréditaires sont rares mais on dénombre néanmoins quelques cas de dysplasie de la hanche et de maladies cutanées.

LE PROPRIÉTAIRE DOIT... chasser avec son chien ou aimer faire beaucoup d'exercice. Comme on peut s'y attendre, ces chiens adorent nager.

YEUX De couleur noisette, en forme d'amande et assez grands.

TÊTE Carrée et s'amenuisant progressivement pour se terminer en un museau long et fin.

LIGNE DU DESSUS Horizontale à partir de la base du cou, remontant légèrement au-dessus de l'arrière-train.

QUEUE Épaisse à la naissance et couverte de poils bouclés sur une longueur de 5 à 8 cm, elle s'amenuise fortement pour se terminer en fine pointe.

OREILLES Attachées bas, très longues, densément couvertes de poils bouclés qui descendent beaucoup plus bas que l'extrémité inférieure de l'oreille.

PIEDS Grands, avec des orteils bien écartés pour aider le chien à nager. Bien couverts de poils sur le dessus et entre les orteils.

MÉMO   EXERCICE 🐾🐾🐾🐾   ENTRETIEN 🐾🐾🐾   ÉDUCATION 🐾🐾   PRIX DE REVIENT 🐾🐾🐾

Chien d'arrêt allemand à poil dur

CARACTÉRISTIQUES

TAILLE Mâle, hauteur au garrot, 61-66 cm ; femelle, hauteur au garrot, 56-61 cm.

SILHOUETTE Chien d'arrêt grand et musclé à la carrure dynamique et équilibrée. Il possède une robe résistante aux intempéries et une moustache, une barbe et des sourcils fournis caractéristiques.

ROBE Poil de couverture rêche, sous-poil court que le chien perd en grande partie en hiver. La densité du pelage varie sur tout le corps, il est nettement plus épais dans le collier autour du cou. Les couleurs autorisées sont foie et blanc ou foie uni avec quelques variations au niveau de différentes taches.

SANTÉ DE LA RACE Race généralement robuste et saine avec des tendances occasionnelles à la dysplasie de la hanche, à l'épilepsie et à certains problèmes oculaires.

LE PROPRIÉTAIRE DOIT... être capable de procurer une vie active et intéressante à son chien, qu'il travaille ou non, et être tolérant vis-à-vis de sa quête constante de compagnie : le chien d'arrêt allemand à poil dur est réputé marcher dans l'ombre de son maître, à chacun de ses pas. Mis à part son besoin d'exercice, ce chien n'a pas d'attentes trop importantes.

Le chien d'arrêt allemand à poil dur ou braque allemand à poil dur est une race relativement récente, créée il y a à peine plus de cent ans probablement en croisant divers terriers avec le griffon d'arrêt à poil dur ou korthals, un chien de chasse énergique originaire de Hollande mais devenu rare. Son allure est similaire à celle du chien d'arrêt allemand à poil court et il s'agit d'un chien de chasse efficace qui peut à la fois « pointer » et suivre une piste. Il est actuellement très populaire en Allemagne et en Amérique du Nord.

Le chien d'arrêt allemand à poil dur fut enregistré pour la première au Royaume-Uni dans les années 1950, puis en 1959 aux États-Unis. Comme tous les chiens de travail, le braque allemand à poil dur a besoin d'une éducation attentive pour faire un bon animal de compagnie et un chien de chasse efficace. Ces chiens d'arrêt sont intelligents et fiables mais peuvent être entêtés et sont beaucoup trop grands pour que leurs maîtres puissent leur permettre d'être indisciplinés ou hors de contrôle.

À la maison, ce chien d'arrêt s'attache à la famille, se concentrant sur une personne en particulier et aime suivre l'objet de son affection dans toute la maison ainsi qu'à l'extérieur. Il faut veiller à ne pas accepter les accès de jalousie que certains chiens peuvent développer trop fortement. Le braque allemand à poil dur n'a aucunement conscience de sa taille ; à l'intérieur, il pourra tenter, à moins qu'on ne l'en dissuade fermement, de se comporter comme un petit chien d'appartement, s'approchant autant que possible de la personne qui lui « appartient ».

Les chiens d'arrêt à poil dur, si on ne les utilise pas comme chien de travail, ont besoin de faire beaucoup d'exercice, si ce n'est pas le cas, ils peuvent devenir surexcités. Ce ne sont absolument pas des chiens à conseiller pour les petits espaces ou les appartements : ces chiens veulent être « délivrés » de leur laisse et pouvoir courir de manière effrénée pendant une heure ou deux tous les jours. Ils combineront à la perfection les rôles de chien de travail et de compagnie, et si leur besoin d'exercice est satisfait, ils seront en général heureux de se reposer le reste du temps. Bien qu'ils soient assez robustes pour rester en chenil, comme les autres chiens d'arrêt, les chiens de cette race sont très sociables et préfèrent vivre dans la maison.

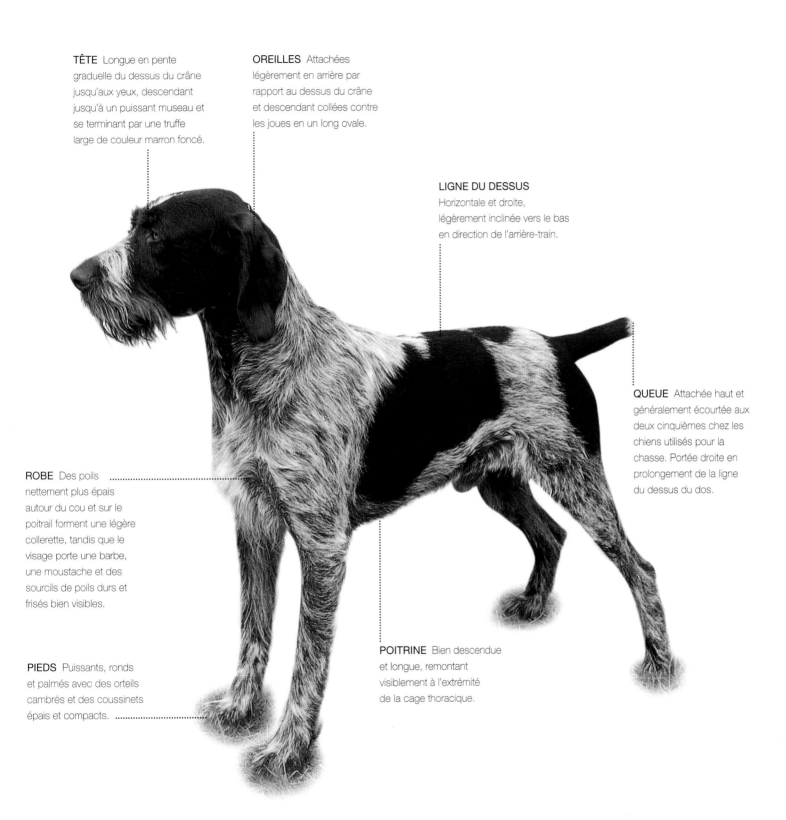

TÊTE Longue en pente graduelle du dessus du crâne jusqu'aux yeux, descendant jusqu'à un puissant museau et se terminant par une truffe large de couleur marron foncé.

OREILLES Attachées légèrement en arrière par rapport au dessus du crâne et descendant collées contre les joues en un long ovale.

LIGNE DU DESSUS Horizontale et droite, légèrement inclinée vers le bas en direction de l'arrière-train.

QUEUE Attachée haut et généralement écourtée aux deux cinquièmes chez les chiens utilisés pour la chasse. Portée droite en prolongement de la ligne du dessus du dos.

ROBE Des poils nettement plus épais autour du cou et sur le poitrail forment une légère collerette, tandis que le visage porte une barbe, une moustache et des sourcils de poils durs et frisés bien visibles.

PIEDS Puissants, ronds et palmés avec des orteils cambrés et des coussinets épais et compacts.

POITRINE Bien descendue et longue, remontant visiblement à l'extrémité de la cage thoracique.

 MÉMO EXERCICE 🐾 🐾 🐾 🐾 ENTRETIEN 🐾 🐾 ÉDUCATION 🐾 🐾 PRIX DE REVIENT 🐾 🐾 🐾

Nova scotia duck tolling retriever

CARACTÉRISTIQUES

TAILLE Mâle, hauteur au garrot, 46-54 cm ; femelle, hauteur au garrot, 43-51 cm.

SILHOUETTE Petit pour un retriever ; svelte et compact.

ROBE Poil de couverture ondulé et imperméable et sous-poil doux et dense. Couleur dorée et rouge cuivré, souvent avec un poitrail et des pieds blancs.

SANTÉ DE LA RACE Prédisposition à la dysplasie de la hanche et à des affections oculaires.

LE PROPRIÉTAIRE DOIT... avoir beaucoup d'énergie pour faire faire de l'exercice à ce chien intelligent et dynamique. Il s'entend bien avec les enfants et fait un excellent chien de famille.

Aussi connu sous le nom de « retriever de Nouvelle-Écosse » ou « toller », ce retriever doit son nom (*duck tolling* signifie leurre de canard) à sa méthode inhabituelle d'appât du gibier. Les chasseurs envoyaient le chien chercher un bâton ou une balle au bord de l'eau. Alors qu'il jouait, les canards s'approchaient pour le regarder et étaient abattus.

TÊTE Crâne un peu carré, très légèrement bombé sur le dessus de la tête et s'amenuisant pour se terminer en un museau fin et pointu.

YEUX En forme d'amande et relativement écartés au regard doux et intelligent qui devient très concentré quand le chien travaille. En général de couleur ambre, mais les yeux plus foncés ou noirs sont assez fréquents et autorisés dans le standard de la race.

CORPS Poitrine bien descendue et compacte, corps relativement court donnant au chien une silhouette carrée et trapue.

PATTES Avec une bonne ossature et robustes, de taille moyenne, pieds très palmés permettant au chien de nager avec puissance.

MÉMO   EXERCICE 🐾🐾🐾🐾   ENTRETIEN 🐾🐾🐾   ÉDUCATION 🐾🐾   PRIX DE REVIENT 🐾🐾

Curly-coated retriever

Le curly-coated retriever ou retriever à poil bouclé est aujourd'hui assez rare comme animal de compagnie bien qu'il soit encore assez populaire comme chien de travail. Il s'agit d'une race très ancienne qui a été créée en Grande-Bretagne, probablement par le croisement de retrievers avec des caniches ou des épagneuls d'eau irlandais. Souple, plein de vitalité, gardien vigilant mais au tempérament amical… la raison pour laquelle ce chien a perdu les faveurs des cynophiles reste un mystère. Les chiens de cette race sont sains, avec une longue espérance de vie en général.

CARACTÉRISTIQUES

TAILLE Mâle, hauteur au garrot, 63,5-69 cm ; femelle, hauteur au garrot, 58-63,5 cm.

SILHOUETTE Classique du retriever, mais plus léger que certains chiens de ce type ; équilibrée, robuste et gracieuse.

ROBE Caractéristique distinctive du retriever à poil bouclé : une masse dense de petites boucles serrées sur tout le corps à l'exception du visage et du devant du bas des pattes qui sont en général lisses. Les couleurs autorisées sont le foie uni ou le noir.

SANTÉ DE LA RACE Prédisposition légère aux allergies cutanées, à la cataracte et à la dysplasie de la hanche.

LE PROPRIÉTAIRE DOIT… avoir la patience de rechercher cette race et beaucoup d'énergie. Ce chien est réputé facile à éduquer bien que ses forts instincts de gardien pourraient devoir être découragés.

QUEUE De longueur moyenne atteignant les jarrets et densément couverte de boucles épaisses.

TÊTE Couverte de poils lisses, de forme carrée ; plus longue que celle de la plupart des autres races de retrievers.

YEUX Expressifs et grands ; noirs ou marron sur les chiens noirs ; ambre ou marron sur les chiens à la robe foie.

POITRINE Bien descendue, mais les côtes ne sont pas très larges, se prolongeant loin jusqu'à une « taille » visible remontant vers le haut.

MÉMO   **EXERCICE** 🐾🐾🐾🐾   **ENTRETIEN** 🐾🐾   **ÉDUCATION** 🐾🐾   **PRIX DE REVIENT** 🐾🐾

Chiens courants

Ce groupe est extraordinairement varié et comprend aussi bien les grands et élégants lévriers, tel le lévrier afghan, qui comptent sur leur vue perçante et leur impressionnante vitesse de pointe pour poursuivre leurs proies, que les limiers, comme le saint-hubert ou le chien de loutre qui dépendent quant à eux de leur excellent odorat. Tous les chiens courants cependant ont en commun de répondre positivement au dressage. Néanmoins, ils ont tendance par nature à se laisser facilement distraire s'ils voient ou flairent quelque chose d'attirant.

Teckel

CARACTÉRISTIQUES

TAILLE Standard, mâle et femelle, hauteur au garrot, 20 cm ; nain, mâle et femelle, hauteur au garrot, 15 cm.

SILHOUETTE Pattes courtes, corps long, musclé et compact. Malgré la petite taille du teckel, rien n'est fragile dans sa constitution ou son port.

ROBE Trois types : la variété à poil court possède un pelage fin, dense, lisse et brillant, le teckel à poil long, un pelage de longueur moyenne, doux et ondulé et la variété à poil dur, un poil double, le poil de couverture étant dru et épais et le sous-poil plus doux et plus court. Les couleurs peuvent varier, allant du rouge ou crème unis aux marron foncé et noirs les plus courants. La robe peut être bicolore, de marron et feu à bringé ou arlequin.

SANTÉ DE LA RACE Pour des raisons évidentes, le dos du teckel doit faire l'objet d'attentions et de soins particuliers. Cette race populaire présente également des prédispositions au diabète et à certains problèmes cardiaques. Vérifiez attentivement l'état de santé des géniteurs de l'éleveur.

LE PROPRIÉTAIRE DOIT... avoir du temps pour éduquer son chien : le teckel peut s'avérer indépendant et très entêté. Cette race est plus dynamique qu'elle n'en a l'air et requiert des promenades régulières.

Le teckel est un chien de petite taille mais sa personnalité n'a quant à elle rien de miniature. Créé en Allemagne, au départ pour chasser les blaireaux (le teckel porte le nom de *dachshund* dans les pays anglophones ce qui signifie « chien à blaireau »), le teckel originel était un exceptionnel chien de travail, réputé pour sa résistance et son endurance. Son aboiement profond et rauque, presque un hurlement, rappelle ses origines – rien ne peut être plus éloigné du son aigu produit par certains petits chiens.

Le teckel originel était un peu plus haut sur pattes que la version moderne. Il en existe deux types – nain et standard – qui sont identiques en tous points à l'exception de la taille et même le teckel standard est considéré comme un petit chien. L'apparence « surbaissée » plaisamment inhabituelle du teckel contemporain a cependant entraîné certains problèmes de santé. Son dos allongé se démet facilement et la prédisposition de cette race aux hernies discales et autres problèmes vertébraux peut engendrer des frais de vétérinaire élevés. Il est donc conseillé de ne pas encourager ces chiens à sauter et certains propriétaires les portent même dans leurs bras pour monter et descendre les escaliers. Malgré ce dos fragile, les teckels ont besoin de faire beaucoup d'exercice, que ce soit en jouant ou en se promenant, afin d'utiliser leur énergie débordante. Ils peuvent être gourmands mais il faut veiller à ce qu'ils deviennent obèses car cela peut favoriser les problèmes de dos.

Conformément à ses origines, le teckel fait preuve de détermination et d'une grande indépendance et possède un caractère bien trempé ; il peut se révéler difficile à éduquer bien que beaucoup de ces chiens soient joueurs et participeront avec enthousiasme si le dressage devient un jeu. Bien que le teckel fasse partie du groupe des chiens courants, sa personnalité est à bien des égards plus proche de celle des terriers. Les teckels sont intelligents mais il n'est pas toujours aisé de fixer leur attention. Certains, fidèles à leurs racines de chiens de terriers élevés pour poursuivre leur proie jusque dans la terre, ont conservé un fort instinct et adorent creuser le sol.

En termes de toilettage, cette race est facile à entretenir ; la variété à poil court a rarement besoin de beaucoup de soins et même les teckels à poil long gardent aisément un pelage lustré, lisse et brillant si on les peigne régulièrement.

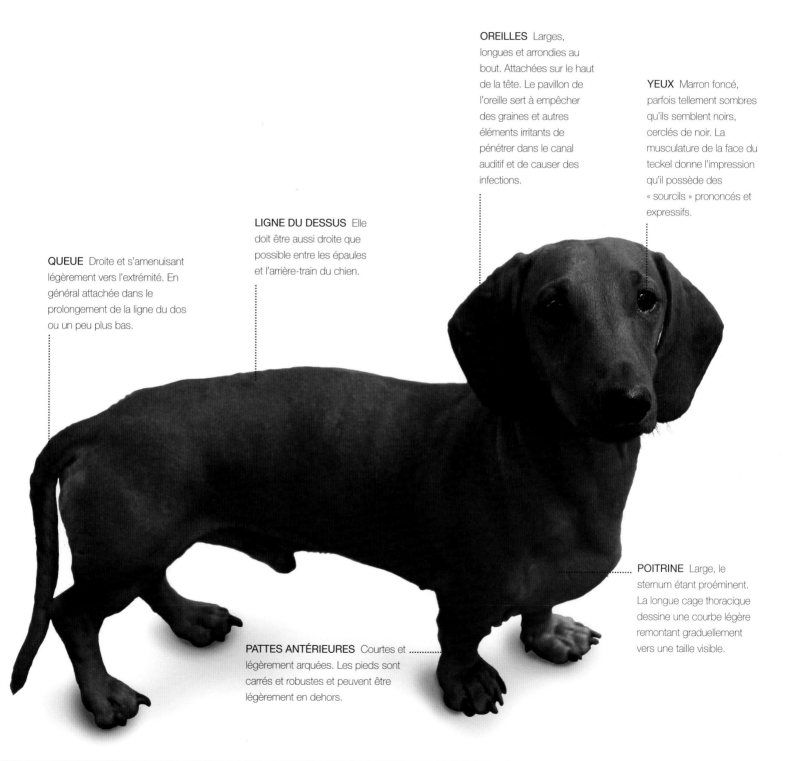

OREILLES Larges, longues et arrondies au bout. Attachées sur le haut de la tête. Le pavillon de l'oreille sert à empêcher des graines et autres éléments irritants de pénétrer dans le canal auditif et de causer des infections.

YEUX Marron foncé, parfois tellement sombres qu'ils semblent noirs, cerclés de noir. La musculature de la face du teckel donne l'impression qu'il possède des « sourcils » prononcés et expressifs.

LIGNE DU DESSUS Elle doit être aussi droite que possible entre les épaules et l'arrière-train du chien.

QUEUE Droite et s'amenuisant légèrement vers l'extrémité. En général attachée dans le prolongement de la ligne du dos ou un peu plus bas.

POITRINE Large, le sternum étant proéminent. La longue cage thoracique dessine une courbe légère remontant graduellement vers une taille visible.

PATTES ANTÉRIEURES Courtes et légèrement arquées. Les pieds sont carrés et robustes et peuvent être légèrement en dehors.

MÉMO   EXERCICE 🐾 🐾 🐾   ENTRETIEN 🐾   ÉDUCATION 🐾 🐾 🐾   PRIX DE REVIENT 🐾 🐾 🐾

Greyhound

CARACTÉRISTIQUES

TAILLE Mâle, hauteur au garrot, 71-76 cm ; femelle, hauteur au garrot, 69-71 cm.

SILHOUETTE Fine, élégante, élancée et bien musclée. Un beau greyhound doit avoir l'air svelte et athlétique mais pas osseux ou trop maigre.

ROBE Poil soyeux, serré et court, toutes les couleurs ou combinaisons de couleurs sont possibles. Les robes unies et bringées peuvent présenter des panaches blancs sur le visage ou la poitrine.

SANTÉ DE LA RACE Le greyhound a hérité de peu de problèmes génétiques. Il est malgré tout sensible aux températures extrêmes et doit porter un manteau en hiver et avoir la possibilité de se mettre à l'ombre en été. Il doit également disposer d'un endroit douillet pour se reposer ; à cause de son corps sec, ce chien n'est pas à son aise lorsqu'il doit s'allonger sur des surfaces dures.

LE PROPRIÉTAIRE DOIT... fournir un environnement calme et tranquille à son chien pour qu'il se repose. Les greyhounds qui ont été adoptés après une carrière dans les courses de chiens ont besoin d'une attention particulière pour s'intégrer dans un environnement familial. La plupart s'adaptent de manière optimale s'il est possible de posséder en même temps l'un de leurs congénères. Ils font de bons partenaires de jogging pour un

Des greyhounds, l'une des plus anciennes races de chiens, ou des chiens qui leur ressemblaient beaucoup, ont été peints sur les murs d'anciennes sépultures égyptiennes datant de plusieurs milliers d'années et ont été représentés de manière régulière et très reconnaissable dans des œuvres d'art du monde entier. Les greyhounds, ou lévriers anglais, sont des chiens qui utilisent leur vue perçante et leur grande vitesse pour chasser.

Les lignes allongées et élégantes de ce chien sont particulièrement visibles lorsqu'il est en mouvement : un greyhound en plein galop développe un mouvement magnifiquement souple et aisé. Aujourd'hui, la majorité des greyhounds vivant comme animaux de compagnie sont des chiens qui ont été adoptés après une carrière dans les courses de lévriers, sport encore très populaire dans certaines régions. Malgré leur vitesse impressionnante – le greyhound est réputé être le deuxième mammifère le plus rapide au monde après le guépard et peut atteindre une vitesse de 72 km/h sur de courtes distances – ce ne sont pas des animaux qui exigent beaucoup de soins. Sprinters plus qu'athlètes d'endurance, ils ont besoin de courir tous les jours mais ne requièrent pas de très longues promenades. Ils courront en général très vite pendant un court moment puis marcheront d'un pas tranquille pendant le reste de la ballade avant de rentrer pour faire une longue sieste. Néanmoins, ils peuvent tenir bon lorsqu'ils poursuivent des créatures de petite

taille en train de courir si bien que s'ils ne se trouvent pas dans un endroit où ils peuvent courir librement, il vaut mieux les attacher en laisse. Pour des raisons évidentes, il faut également faire preuve de vigilance lorsqu'ils sont à proximité d'animaux plus petits qu'eux.

Autrement, le greyhound est doux, calme et affectueux à la maison. Il tisse facilement des liens étroits avec ses maîtres et s'adapte avec complaisance à la structure familiale. Les greyhounds de course arrivent chez leurs nouveaux propriétaires déjà dressés, mais cette race est facile à éduquer, même si on adopte un chiot, car ces chiens sont naturellement dociles et veulent plaire à leurs maîtres. Ces chiens ne doivent cependant pas rester seuls pendant de longues périodes : l'anxiété est courante chez le greyhound et il ne faut pas la laisser se développer trop fortement risquant alors de se transformer en névrose. Les greyhounds apprécient en général la compagnie des autres chiens et plus particulièrement celle d'autres greyhounds.

TÊTE Étroite et élégante avec un museau long qui s'amenuise graduellement.

OREILLES Petites et portées repliées contre la tête. Elles se dressent lorsque le chien est en alerte et excité.

LIGNE DU DESSUS Légèrement cintrée vers le bas partant du cou au port dressé, jusqu'au rein. La queue doit former un prolongement de la ligne du dos.

ARRIÈRE-TRAIN Bien développé et large, il fournit la puissance nécessaire à l'impressionnante vitesse de pointe du greyhound.

COU Long, puissant et musclé, harmonieusement galbé au niveau du dos du chien.

QUEUE Longue et légèrement effilée, attachée bas, elle est légèrement incurvée vers le haut.

● **MÉMO**   **EXERCICE** 🐾 🐾   **ENTRETIEN** 🐾   **ÉDUCATION** 🐾 🐾   **PRIX DE REVIENT** 🐾

Lévrier afghan

CARACTÉRISTIQUES

TAILLE Mâle, hauteur au garrot, 66-71 cm ; femelle, hauteur au garrot, 61-66 cm.

SILHOUETTE Le visage expressif et la magnifique robe soyeuse du lévrier afghan dissimulent un chien puissant et compact aux lignes élégantes et à l'impressionnante vitesse de pointe.

ROBE Poils très longs et soyeux, recouvrant tout le corps, les pattes et la queue, de toutes les couleurs ou combinaisons de couleurs, bien que le blanc et les couleurs mélangées à du blanc ne soient pas encouragés dans le standard de la race. Les poils sont courts et soyeux sur le museau et autour des yeux.

SANTÉ DE LA RACE En général très bonne ; certaines prédispositions à la dysplasie de la hanche et à la cataracte.

LE PROPRIÉTAIRE DOIT... faire preuve de patience pour éduquer ce chien intelligent qui possède une grande confiance en lui, et avoir suffisamment d'argent et de temps pour prendre en charge son toilettage.

« Hautain » est un adjectif souvent utilisé pour décrire ce chien ancien à l'allure aristocratique. On pense qu'il a été initialement introduit en Afghanistan en provenance de Perse comme chien de chasse ; sa longue robe se serait développée pour résister au climat rude et souvent glacial de son pays d'adoption. Intelligent et indépendant, il a besoin d'un maître ferme et sûr de lui pour l'éduquer afin qu'il développe tout son potentiel.

OREILLES Longues et attachées dans l'alignement de l'angle externe des yeux, abondamment garnies de longs poils soyeux.

CORPS Sous l'abondance de ses poils, le lévrier afghan possède le corps classique d'un lévrier : des pattes longues, une taille haute et une poitrine bien descendue.

YEUX En forme d'amande et placés légèrement en oblique sur la tête. Ils sont en général noirs ou marron foncé, mais il existe quelques spécimens avec des yeux de couleur ambre doré.

QUEUE Fortement frangée et attachée bas sur le corps, elle se termine en général par une petite courbe. Lorsque le chien est excité, la queue se dresse et est portée haut.

Lévrier irlandais

Créé pour tuer des loups, comme son nom anglais *wolfhound* l'indique, cet immense chien (le plus grand du monde) se retrouva en sérieux danger d'extinction lorsque les loups disparurent de Grande-Bretagne au début du XIXᵉ siècle. Sa cote de popularité remonta dans les années 1880 et il est aujourd'hui très apprécié des personnes qui ont du temps et de la place à consacrer à ce gigantesque chien. Gentil et calme mais quelque peu réservé, il s'intègre en général parfaitement dans la vie familiale et s'entend bien avec les autres animaux.

CARACTÉRISTIQUES

TAILLE Mâle, hauteur au garrot, 86-96,5 cm ; femelle, hauteur au garrot, 76-91 cm.

SILHOUETTE Ce chien possède des formes fines et gracieuses lorsqu'il est en mouvement mais son pelage un peu hirsute peut masquer les contours de son corps.

ROBE Texture drue et rude dans une gamme de couleurs allant du noir et gris au roux et froment. Il existe également une version blanc pur.

SANTÉ DE LA RACE Ce chien a une espérance de vie courte (en moyenne 6 à 8 ans) et est sujet à une variété d'affections héréditaires, dont, mais pas de manière exhaustive, cancers, torsion-dilatation de l'estomac, maladies cardiaques, attaques, affections oculaires et dysplasie de la hanche.

LE PROPRIÉTAIRE DOIT... avoir de l'espace, du temps et de l'argent pour prendre en charge l'éducation, le toilettage et les factures de vétérinaire de ce véritable géant.

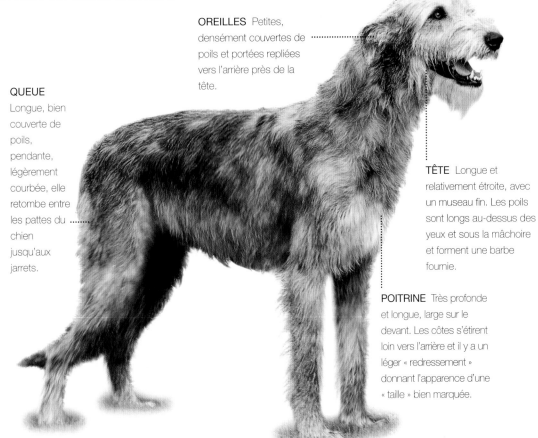

OREILLES Petites, densément couvertes de poils et portées repliées vers l'arrière près de la tête.

QUEUE Longue, bien couverte de poils, pendante, légèrement courbée, elle retombe entre les pattes du chien jusqu'aux jarrets.

TÊTE Longue et relativement étroite, avec un museau fin. Les poils sont longs au-dessus des yeux et sous la mâchoire et forment une barbe fournie.

POITRINE Très profonde et longue, large sur le devant. Les côtes s'étirent loin vers l'arrière et il y a un léger « redressement » donnant l'apparence d'une « taille » bien marquée.

Basenji

CARACTÉRISTIQUES

TAILLE Mâle, hauteur au garrot, 43 cm ; femelle, hauteur au garrot, 41 cm.

SILHOUETTE Svelte et agile, chien de corpulence légère pour sa taille. La peau de son front se plisse souvent légèrement, lui donnant un air soucieux. La queue est attachée haut et s'enroule en boucle serrée sur le dos.

ROBE Pelage court, fin, lustré, lisse et brillant dans diverses couleurs, mais les pieds, la poitrine et l'extrémité de la queue sont toujours blancs.

SANTÉ DE LA RACE Généralement peu de problèmes, mais une légère prédisposition aux affections de la hanche et des yeux.

LE PROPRIÉTAIRE DOIT... avoir de la patience et apprécier les choses peu courantes. Ce chien émet une gamme de sons qui va d'un jodle à un cri et peut se montrer entêté. Bien qu'il soit affectueux avec ses maîtres, le basenji ne témoigne en général pas un grand intérêt aux êtres humains.

Ce chien de chasse originaire d'Afrique est l'une des races les plus inhabituelles à avoir récemment gagné en popularité. Il n'aboie pas, fait sa toilette comme un chat et possède une nature réservée et timide qui peut le rendre difficile à éduquer. Les amateurs de cette race apprécient son caractère indépendant et son apparence caractéristique.

OREILLES Larges et pointures, portées dressées et tournées vers l'avant.

TÊTE Portée droite. Rides caractéristiques autour du front et des joues lorsque le chien est en alerte.

PATTES Longues par rapport au corps, fines et très musclées.

MÉMO | **EXERCICE** 🐾🐾🐾🐾 | **ENTRETIEN** 🐾 | **ÉDUCATION** 🐾🐾🐾 | **PRIX DE REVIENT** 🐾🐾

Whippet

Développé initialement au XIXe siècle pour chasser les lapins et ayant enregistré une vitesse de pointe de plus de 64 km/h, le whippet peut concurrencer des chiens beaucoup plus grands que lui. Racé, élégant et peu exigeant, il requiert surtout de l'attention de la part de son maître et a besoin de faire régulièrement de l'exercice.

TÊTE Largeur généreuse entre les oreilles se transformant en un crâne long et plat sur le dessus et s'amenuisant en un fin museau.

OREILLES Petites oreilles pliées « en rose » ; portées repliées contre la tête au repos.

LIGNE DU DESSUS Régulière et légèrement arquée mais sans voussure vers l'arrière-train.

QUEUE Longue, effilée, portée bas, elle forme une courbure délicate vers le haut au niveau de son dernier quart.

ARRIÈRE-TRAIN Musclé et puissant avec une forte courbure vers l'arrière et des jarrets courts.

CARACTÉRISTIQUES

TAILLE Mâle, hauteur au garrot, 48-56 cm ; femelle, hauteur au garrot, 46-54 cm.

SILHOUETTE Compacte ; fine mais robuste, avec une apparence musclée, symétrique et équilibrée.

ROBE Pelage très court et fin de toutes les couleurs et combinaisons de couleurs – le standard de la race permet toutes les couleurs sauf le noir uni et les robes tricolores et particolores.

SANTÉ DE LA RACE Les whippets sont sujets à une variété de problèmes oculaires, mais sont sinon généralement en bonne santé. Ils sont sensibles à la fois à la chaleur et au froid, de sorte qu'ils peuvent avoir besoin d'un manteau en hiver et d'ombre en été.

LE PROPRIÉTAIRE DOIT... donner une éducation consciencieuse à son chien car les whippets sont sensibles. Ils font de bons chiens de famille et peuvent vivre dans un espace restreint pour peu qu'on leur procure suffisamment d'exercice et qu'on ne les laisse pas seuls trop longtemps.

MÉMO   **EXERCICE** 🐾🐾   **ENTRETIEN** 🐾   **ÉDUCATION** 🐾🐾   **PRIX DE REVIENT** 🐾

Basset hound

CARACTÉRISTIQUES

TAILLE Mâle, hauteur au garrot, 35,5-38 cm ; femelle, hauteur au garrot, 33-35,5 cm.

SILHOUETTE Chien inhabituellement court sur pattes au corps long, lourd et musclé et au visage dont les traits ressemblent à celui du saint-hubert avec des oreilles exceptionnellement longues.

ROBE Pelage court, lisse et imperméable. Toutes les combinaisons de deux ou trois couleurs sont possibles, mais la robe est en général noire, blanche et feu, ou citron (fauve clair).

SANTÉ DE LA RACE Ce chien présente une prédisposition à la dysplasie de la hanche et aux problèmes de genoux, ainsi qu'une prédisposition génétique à des troubles sanguins héréditaires, en particulier une maladie (curable) dans laquelle le sang n'arrive pas à coaguler après des blessures. Il faut veiller à bien nettoyer les longues oreilles pendantes pour éviter les infections auriculaires.

LE PROPRIÉTAIRE DOIT... avoir de la patience pour éduquer son chien – le basset hound peut sembler lent et réfractaire au dressage bien qu'il soit suffisamment intelligent pour apprendre. Malgré son apparence sédentaire, c'est un chien d'extérieur robuste qui a besoin de beaucoup d'exercice en plein air.

Le basset hound moderne descend de chiens créés en Angleterre à la fin du XIXᵉ siècle et résultant du croisement entre une race française, le basset artésien normand, et le saint-hubert. Le chien obtenu était un limier court sur pattes mais très intrépide, son corps près de terre lui permettant de plonger dans des broussailles denses pour suivre ses proies – en général des lapins et des lièvres. Il est très rarement utilisé pour la chasse aujourd'hui mais est un chien de compagnie et d'exposition très populaire.

Malgré son apparente gaucherie, le basset hound est un traqueur robuste et infatigable qui suivra des pistes intéressantes avec résolution et énergie. Quand il est excité, il produit un aboiement profond et sonore, beaucoup plus mélodieux que le cri aigu de nombreux chiens courants ; par ailleurs et contrairement à certains autres chiens courants, il aboie rarement pour le plaisir.

Le basset hound peut facilement être distrait par une piste et avoir tendance à s'enfuir, son maître doit donc garder un œil sur lui lorsqu'il le promène sans laisse. Élevé pour se débrouiller au mieux dans les taillis épais, il ne se laissera décourager par aucune forme d'exploration même dans les terrains les plus densément couverts.

En termes de personnalité, le basset hound aime sa famille et est en général patient et amical avec les enfants. Il peut néanmoins s'avérer difficile à éduquer ; bien qu'il soit loin d'être stupide, même ses plus grands admirateurs admettent qu'il faut déployer une patience inhabituelle pour l'éduquer et consacrer beaucoup de temps à son dressage car, malgré sa nature agréable et affectueuse, le basset hound semble tout bonnement ne vouloir entendre aucune autre motivation que la sienne.

On ne parvient en général à éduquer correctement ce chien qu'en utilisant des aliments comme récompenses. Le basset hound se montre extrêmement enthousiaste en ce qui concerne sa nourriture et ses maîtres doivent s'assurer qu'ils fassent suffisamment d'exercice et que ses rations soient contrôlées pour éviter qu'il ne prenne trop de poids. Sa carrure étant déjà imposante, un surpoids, même modéré, peut surmener ses articulations. Mis à part cela, le basset hound est relativement facile à entretenir – un toilettage léger et régulier avec un gant de toilettage pour chiens et un nettoyage rigoureux des énormes oreilles doivent suffire à préserver le bon état du pelage et du chien.

TÊTE Crâne haut, en dôme, se terminant en un museau long, droit et profond. La peau présente souvent des rides au-dessus du front et est lâche autour de la mâchoire et des bajoues ce qui confère une expression mélancolique au chien.

OREILLES Exceptionnellement longues et larges, attachées assez haut sur la tête et tombant bien en dessous du menton en plis souples.

MEMBRES Très courts par rapport à la longueur totale du chien mais puissants et avec une forte ossature. La peau présente souvent des plis lâches tombant autour des articulations.

TRUFFE Large et dotée de grosses narines, caractéristiques des limiers. La truffe est en général noire, bien que la couleur foie soit permise dans le standard de la race.

POITRINE Cage thoracique longue et bien descendue, le sternum est légèrement saillant au-dessus des membres antérieurs. Le point le plus bas de la poitrine doit être à une hauteur égale aux deux tiers de la hauteur totale du chien, lui donnant suffisamment de place pour se déplacer librement et avec dynamisme.

PATTES Les pieds peuvent être légèrement tournés vers l'extérieur à l'extrémité des pattes, pour équilibrer la largeur de la poitrine. Ils sont très massifs, larges et robustes avec des coussinets épais, ronds et durs.

MÉMO   EXERCICE 🐾 🐾 🐾 🐾   ENTRETIEN 🐾 🐾   ÉDUCATION 🐾 🐾 🐾 🐾 🐾 PRIX DE REVIENT 🐾 🐾 🐾

Rhodesian ridgeback

CARACTÉRISTIQUES

TAILLE Mâle, hauteur au garrot, 69-73 cm ; femelle, hauteur au garrot, 61-66 cm.

SILHOUETTE Beau chien fort et athlétique présentant la caractéristique unique de posséder une crête de poils fortement dressés courant le long de sa colonne vertébrale.

ROBE Poils courts, extrêmement denses, d'aspect lisse et luisant, de couleur unie froment clair à fauve rouge. Le standard de la race autorise un peu de blanc sur le poitrail et les doigts.

SANTÉ DE LA RACE Race vigoureuse et très saine sur le plan génétique, avec seulement une légère tendance à la dysplasie de la hanche.

LE PROPRIÉTAIRE DOIT... avoir beaucoup de temps pour veiller à la socialisation de ce grand chien puissant et lui faire faire suffisamment d'exercice. Les rhodesian ridgebacks sont exceptionnellement vifs lorsqu'ils sont chiots mais se calment généralement en vieillissant.

Appelé aussi chien de Rhodésie à crête dorsale, ce chien de chasse imposant qui doit son nom à la crête (*ridgeback* en anglais) de poils dressés courant le long de sa colonne vertébrale est originaire d'Afrique du Sud. Il fait un bon chien de famille et un excellent chien de garde mais il peut se montrer réservé à l'égard des étrangers. Ce chien a besoin d'un maître possédant une bonne autorité naturelle.

CRÊTE Épi bien visible formé par le poil qui pousse dans le sens opposé au reste du pelage. Elle commence immédiatement derrière les épaules, se prolonge le long de la colonne vertébrale et se termine à la hanche.

LIGNE DU DESSUS Le cou musclé, assez court, rejoint un dos puissant et très droit présentant une courbe très légère descendant jusqu'à l'arrière-train.

POITRINE La poitrine est bien descendue, les côtes étant modérément bien cintrées plutôt qu'en cercle de barrique ce qui indique une grande capacité pulmonaire et donne une silhouette aérodynamique prédisposée à la vitesse.

TÊTE Crâne large et plat, les oreilles étant attachées assez haut, ce qui donne un museau puissant et profond. Les grands yeux ronds et bien écartés peuvent être foncés ou de couleur ambre.

PATTES AVANT Épaules puissantes descendant vers des membres antérieurs droits, musclés et pourvus d'une ossature solide. Les pieds possèdent des orteils arqués et des coussinets ronds, durs et grands par rapport au reste des pattes.

 MÉMO EXERCICE 🐾🐾🐾🐾 ENTRETIEN 🐾🐾 ÉDUCATION 🐾🐾🐾🐾 PRIX DE REVIENT 🐾🐾🐾

Beagle

Les principales caractéristiques du beagle n'ont pas changé depuis des centaines d'années. Enjoué, dynamique et enthousiaste, il a été créé à partir d'un limier pour chasser les lapins et les lièvres. Il est toujours très utilisé pour la chasse et fait un animal de compagnie très apprécié mais son côté bruyant devra sans doute être découragé.

YEUX Marron ou noisette, ronds et bien écartés l'un de l'autre, cerclés de noir avec un regard doux et attendrissant.

OREILLES Longues, larges et basses, tombant juste en dessous de la mâchoire.

LIGNE DU DESSUS Dos et corps courts et puissants, larges au niveau des côtes. La carrure du beagle a une apparence nette, compacte et équilibrée.

QUEUE Attachée et portée haut, large à la naissance et se terminant par une extrémité touffue, appelé « fouet ». Courte par rapport à celle de nombreux autres chiens courants.

PATTES Membres antérieurs et postérieurs musclés et à la forte ossature, longues par rapport au corps.

CARACTÉRISTIQUES

TAILLE Mâle ou femelle, hauteur au garrot, 33-40 cm.

SILHOUETTE Nette, compacte et bien musclée, longues oreilles pendantes et comportement enjoué et énergique.

ROBE Pelage court et soyeux bicolore et tricolore alliant le noir, le marron, le feu et le blanc. Les beagles possèdent souvent une bande blanche centrale sur le milieu du visage avec un « panache » blanc sur le front.

SANTÉ DE LA RACE Généralement bonne bien que les beagles puissent présente une prédisposition à certaines infections oculaires et auriculaires occasionnelles.

LE PROPRIÉTAIRE DOIT... être prêt à consacrer beaucoup de temps et d'investissement personnel à ce chien – les beagles aiment être avec leurs maîtres et font d'excellents chiens de famille qui possèdent une énergie infatigable quand il s'agit de jouer. Ils sont souvent très attirés par la nourriture et il faut donc veiller à ce qu'ils ne deviennent pas obèses.

MÉMO   EXERCICE 🐾🐾🐾   ENTRETIEN 🐾   ÉDUCATION 🐾🐾🐾   PRIX DE REVIENT 🐾🐾

Saint-hubert

CARACTÉRISTIQUE

 TAILLE Mâle, hauteur au garrot, 63,5-69 cm ; femelle, hauteur au garrot, 58-63,5 cm.

SILHOUETTE Le corps imposant de ce chien est complété par une tête rectangulaire et lourde dotée d'une truffe proéminente, d'yeux très enfoncés dans les orbites, d'oreilles extrêmement longues et d'une abondance de plis.

ROBE Pelage court, épais et luisant de couleur noir et feu ou foie et feu, ou plus rarement rouge uni.

SANTÉ DE LA RACE Race très vigoureuse mais qui peut être sujette à la torsion-dilatation de l'estomac et aux infections auriculaires et présente une légère prédisposition à la dysplasie de la hanche.

LE PROPRIÉTAIRE DOIT... avoir beaucoup d'affection à donner à ce chien sensible. Le saint-hubert requiert des promenades régulières et prolongées. Malgré son apparence costaude, il peut courir très vite.

Le saint-hubert ou bloodhound aurait été introduit par Guillaume le Conquérant en Angleterre au XIᵉ siècle et cette race est depuis lors très réputée pour la chasse à cause de son odorat extraordinairement développé. Bien qu'il ne constitue pas le choix le plus évident pour un animal de compagnie, le saint-hubert s'intègre bien dans la vie familiale : il est facile à vivre, affectueux, aime les enfants et est beaucoup vif et actif que son expression mélancolique caractéristique le suggère.

TRUFFE Large, carrée et noire avec de grandes narines ouvertes. Le saint-hubert possède l'odorat le plus fin de tous les animaux domestiques connus. Lorsqu'il flaire quelque chose d'intéressant, il émet également l'un des aboiements lugubres les plus bruyants.

OREILLES Elles constituent l'une des caractéristiques les plus typiques du saint-hubert – grandes, larges et très longues, tombant en plis soyeux semblables à du tissu. Elles doivent être nettoyées régulièrement pour éviter les infections.

QUEUE Attachée haut, longue, fortement effilée et densément poilue. Généralement portée bas.

PEAU La peau du saint-hubert est très lâche et pend en plis profonds autour de la gueule, des joues et de la gorge, donnant au chien une expression mélancolique.

PIEDS Grands et robustes avec des orteils inhabituellement cambrés et des coussinets ronds et solides.

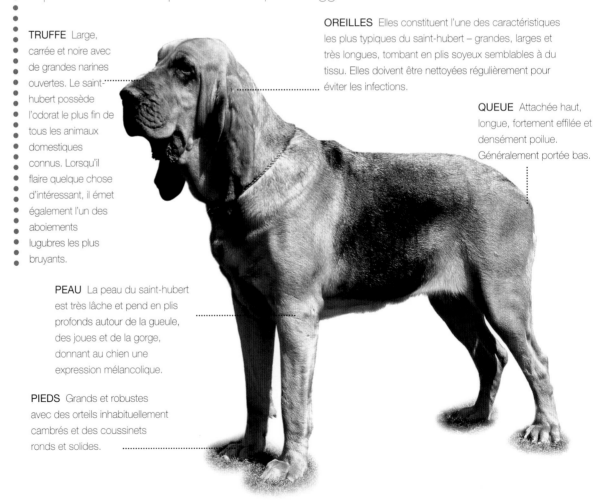

MÉMO   **EXERCICE** 🐾 🐾 🐾 🐾   **ENTRETIEN** 🐾 🐾 🐾   **ÉDUCATION** 🐾 🐾 🐾   **PRIX DE REVIENT** 🐾 🐾 🐾

Chien de loutre

Grand et imposant, ce beau chien, appelé aussi otterhound, est aujourd'hui considéré comme une rareté en dehors de l'univers des expositions canines. Comme son nom l'indique, il a été créé pour chasser les loutres dans l'eau. Il possède un odorat extrêmement développé, le deuxième après celui du saint-hubert, et était également réputé comme limier pour la chasse au sol. Le chien de loutre a un caractère réservé mais est intelligent et facile à éduquer, il est par ailleurs très affectueux avec sa famille.

CARACTÉRISTIQUES

TAILLE Mâle, hauteur au garrot, 61-69 cm ; femelle, hauteur au garrot, 58-66 cm.

SILHOUETTE Puissante et carrée, typique des chiens courants.

ROBE Pelage double dense avec un poil de couverture dur et un sous-poil légèrement huileux, de toutes les couleurs ou combinaisons de couleurs.

SANTÉ DE LA RACE Race saine et vigoureuse à la longue espérance de vie mais qui peut occasionnellement souffrir de dysplasie de la hanche et de torsion-dilatation de l'estomac. Cette race présente une prédisposition à des troubles sanguins héréditaires ; lors de l'acquisition d'un chiot, il convient d'interroger l'éleveur sur les géniteurs pour vérifier qu'ils sont exempts de ces maladies.

LE PROPRIÉTAIRE DOIT... avoir de l'espace et du temps pour accueillir, éduquer et faire faire de l'exercice à ce grand chien énergique. Son apparence hirsute est trompeuse et ce chien requiert un brossage régulier et méthodique.

QUEUE Épaisse à la naissance et bien couverte de poils, s'amenuisant vers l'extrémité. Portée en courbe mais pas suffisamment haute pour passer au-dessus du dos du chien.

OREILLES Attachées bas sur la tête, larges et longues, elles pendent en plis semblables à du tissu.

TÊTE Large et longue mais étroite plus que carrée, avec des yeux foncés profondément enfoncés dans les orbites.

POITRINE Bien descendue et puissante avec une cage thoracique large s'étendant bien en arrière vers le rein en une forme ovale.

PIEDS Grands, larges et écartés, dotés d'orteils palmés pour aider le chien à nager avec vigueur.

MÉMO | EXERCICE 🐾 🐾 🐾 🐾 | ENTRETIEN 🐾 🐾 🐾 | ÉDUCATION 🐾 🐾 🐾 | PRIX DE REVIENT 🐾 🐾 🐾

Coonhound noir et feu

CARACTÉRISTIQUES

TAILLE Mâle, hauteur au garrot, 63,5-69 cm ; femelle, hauteur au garrot, 58-63,5 cm.

SILHOUETTE Chien sain, athlétique et bien équilibré, bien que les pattes, même si elles sont musclées, peuvent sembler fines par rapport à l'aspect costaud du chien.

ROBE Pelage noir luisant, court et dense avec des « sourcils » feu fortement dessinés ainsi que des marques feu autour de la région faciale, sur le poitrail et les pattes.

SANTÉ DE LA RACE Généralement bonne mais risque de dysplasie de la hanche, de gale des oreilles et autres infections auriculaires ainsi que de problèmes oculaires.

LE PROPRIÉTAIRE DOIT... avoir de l'énergie pour faire faire de l'exercice à ce chien dynamique et la capacité de le tenir occupé que ce soit à la chasse ou dans le cadre de tout autre activité comme l'agility par exemple.

Les coonhounds ont été spécifiquement créés pour acculer les ratons laveurs et les opossums dans les arbres jusqu'à ce que les chasseurs arrivent. Ils constituent un groupe nombreux aux États-Unis mais sont moins connus dans le reste du monde. Le coonhound noir et feu est l'un des coonhounds les plus remarquables, très apprécié notamment de George Washington et Thomas Jefferson. Amical, enthousiaste et travailleur, son élevage est encore très répandu et il est utilisé comme chien de travail et moins fréquemment comme fidèle animal de compagnie.

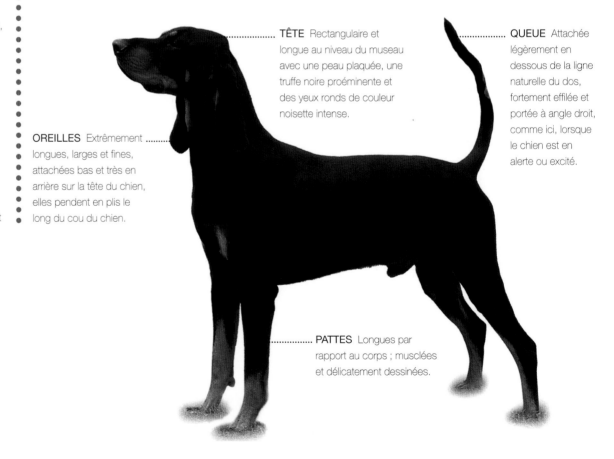

TÊTE Rectangulaire et longue au niveau du museau avec une peau plaquée, une truffe noire proéminente et des yeux ronds de couleur noisette intense.

QUEUE Attachée légèrement en dessous de la ligne naturelle du dos, fortement effilée et portée à angle droit, comme ici, lorsque le chien est en alerte ou excité.

OREILLES Extrêmement longues, larges et fines, attachées bas et très en arrière sur la tête du chien, elles pendent en plis le long du cou du chien.

PATTES Longues par rapport au corps ; musclées et délicatement dessinées.

Chien d'élan norvégien

Le solide et robuste chien d'élan norvégien est un chien de la famille des spitz possédant la queue enroulée et le visage « de renard » caractéristique de ce groupe. Créé pour poursuivre et acculer les massifs élans jusqu'à l'arrivée des chasseurs, ce chien est loyal, enjoué et protecteur, mais, comme on pourrait s'y attendre compte tenu de ses origines, il se montre également déterminé voire entêté. Ce chien doit être éduqué avec attention dès son plus jeune âge.

CARACTÉRISTIQUES

TAILLE Mâle, hauteur au garrot, 52 cm ; femelle, hauteur au garrot, 50 cm.

SILHOUETTE Chien équilibré et massif possédant la silhouette typique des spitz et un comportement alerte et enthousiaste.

ROBE Pelage double, épais et dur, avec un sous-poil doux et laineux et un poil de couverture rude et très lisse bien détaché du corps. La robe est grise de diverses nuances, allant de l'argenté à l'acier foncé.

SANTÉ DE LA RACE Une certaine prédisposition à la dysplasie de la hanche, à certains problèmes hépatiques et oculaires, notamment une atrophie progressive de la rétine.

LE PROPRIÉTAIRE DOIT... avoir du temps pour entraîner et toiletter son chien et lui faire faire beaucoup d'exercice. Les chiens d'élan apprécient les défis posés par les compétitions d'agility et les cours d'obéissance.

OREILLES Larges et triangulaires, placées haut sur la tête et très mobiles.

TÊTE Rectangulaire avec un museau s'amenuisant uniformément et une mâchoire puissante.

QUEUE Attachée haut sur le dos, densément poilue et fermement enroulée sur le dos.

CORPS Court et robuste, poitrine bien descendue et large.

PIEDS Les pieds sont petits comparativement à la taille du chien, arrondis et compacts avec des coussinets forts et épais.

MÉMO | **EXERCICE** 🐾🐾🐾🐾 | **ENTRETIEN** 🐾🐾🐾 | **ÉDUCATION** 🐾🐾🐾 | **PRIX DE REVIENT** 🐾🐾

Chiens de travail

Il ne s'agit bien entendu pas des seuls chiens de travail – ils sont également nombreux dans les autres chapitres –, mais pour appartenir à ce groupe, la plupart des races ont un passé qui inclut des taches de gardiennage, le sauvetage d'être humains de situations périlleuses ou des travaux qui requièrent beaucoup d'endurance comme tirer des traîneaux. La caractéristique commune à tous les chiens de ce groupe très diversifié est leur taille : la plupart sont grands et puissants. Tous les aspects de leur personnalité et des soins qu'il faut leur procurer devront être sérieusement étudiés avant que vous ne décidiez d'en acquérir un comme animal de compagnie.

Boxer

CARACTÉRISTIQUES

TAILLE Mâle, hauteur au garrot, 58-63,5 cm ; femelle, hauteur au garrot, 54,5-57 cm.

SILHOUETTE Tête compacte au regard déterminé avec une face courte et un corps musclé à pattes longues ; il n'est pas surprenant que cette race ait commencé sa carrière en tant que puissant chien de garde.

ROBE Le pelage est court, luisant et serré donnant au chien des lignes très pures. Deux couleurs existent : fauve ou bringé. Les deux types peuvent présenter des marques blanches, mais le standard de la race prévoit qu'elles ne doivent pas couvrir plus d'un tiers du corps. Il existe également une variété blanc pur, mais elle est sujette à une surdité congénitale.

SANTÉ DE LA RACE

Généralement vigoureux, les boxers peuvent néanmoins souffrir d'une variété de maladies congénitales, notamment dysplasie de la hanche, diabète et problèmes cardiaques. Comme certaines autres races de chiens à museau court, ils sont également sujets aux épuisements dus à la chaleur.

LE PROPRIÉTAIRE DOIT...

comprendre les deux facettes du boxer : compagnon enjoué et formidable chien de garde. Ce chien a besoin de jeux et d'exercices animés mais aussi de discipline et de dressage.

Cette race de chiens de travail bien établie a été développée en Allemagne à partir de mastiffs et présentée pour la première fois lors d'une exposition canine à Munich en 1895. Le boxer a été exposé aux États-Unis au début du XXᵉ siècle, puis introduit au Royaume-Uni après la Première Guerre mondiale. La popularité de ce chien actif, vif et puissant a été immédiate, à la fois comme chien de travail pour diverses tâches et comme animal de compagnie.

Développé pour être flexible, le boxer est aujourd'hui très rarement utilisé comme chien de travail, mais on le voit encore souvent comme animal de compagnie. Malgré son apparence inhabituelle et assez agressive, son museau court et son front plissé pouvant paraître menaçants aux non-initiés, le boxer a un côté joueur et burlesque qui surprendra tous ceux qui connaissent mal cette race. Puissant et fougueux, ce chien peut mettre très longtemps avant de devenir adulte et a souvent une longue espérance de vie. Comme il peut faire preuve de l'enthousiasme et de l'énergie d'un chiot jusqu'à sa troisième voire quatrième année, il est parfois difficile de l'éduquer : les boxers sont intelligents mais pas toujours prêts à se concentrer sur le travail, ou tout au moins, sur la tâche que leurs maîtres essaient de leur apprendre. La plupart ont bon caractère et peut faire d'excellents chiens de famille. Cependant, ils peuvent s'avérer un peu trop turbulents, vifs et énergiques pour faire des compagnons de jeu appropriés pour les tout-petits,

bien qu'ils s'entendent en général bien avec les enfants un peu plus âgés et prévenants. Ce chien peut également être une véritable bénédiction pour les parents débordés, car enfants et boxers peuvent jouer allègrement ensemble pendant des heures.

En général amicaux avec les êtres humains, les boxers sont souvent, bien que cela ne soit pas systématique, belliqueux envers les autres chiens, les présentations canines doivent donc se faire avec précaution. Les chiens doivent rester en laisse jusqu'à ce que leurs maîtres soient sûrs qu'ils s'entendent bien.

En général en très bonne santé, les boxers présentent un ou deux points faibles dans leur constitution robuste : ils ne supportent pas bien les températures extrêmes et sont sujets aux coups de chaleur lors des canicules et aux refroidissements lorsqu'il fait très froid, il vaut donc mieux les garder à l'intérieur – ce n'est pas une race faite pour vivre en chenil.

TÊTE Le crâne large et le museau puissamment développé et retroussé rappellent les ancêtres mastiffs du boxer et ajoutent à son apparence légèrement redoutable.

YEUX Grands et ronds, de couleur marron foncé avec des contours sombres. Le regard du boxer est expressif et alerte bien que la peau lâche et plissée au niveau des sourcils lui donne un air un peu inquiet.

CORPS Poitrine longue et assez bien descendue qui se prolonge jusqu'à une taille légèrement marquée tandis que la ligne du dessus du chien est courte, horizontale et d'aspect puissant.

QUEUE La queue des boxers était encore écourtée il y a peu, comme on le fait traditionnellement chez les chiens de travail. La queue naturelle est de longueur moyenne, s'effilant graduellement à partir d'une base musclée et modérément large.

PATTES Les membres antérieurs et postérieurs sont longs et agiles. Ils sont modérément musclés et leur ossature est moyenne ce qui donne au chien une allure équilibrée et proportionnée.

PIEDS De taille moyenne, compacts, avec des orteils bien cambrés.

MÉMO   **EXERCICE** 🐾 🐾 🐾   **ENTRETIEN** 🐾   **ÉDUCATION** 🐾 🐾 🐾   **PRIX DE REVIENT** 🐾 🐾 🐾

Doberman

CARACTÉRISTIQUES

TAILLE Mâle, hauteur au garrot, 66-71 cm ; femelle, hauteur au garrot, 61-66 cm.

SILHOUETTE Puissante, agile et imposante, avec des lignes bien dessinées et athlétiques, un regard constamment en alerte et un comportement vigilant.

ROBE Poil court, dense, lisse, lustré et luisant. La combinaison de couleurs la plus fréquente est le noir avec des marques de teinte rouille ou le fauve rouge avec des taches feu, la robe peut également être, mais plus rarement, gris-bleu ou fauve, avec les mêmes taches rouille.

SANTÉ DE LA RACE Ce chien peut présenter une prédisposition à la dysplasie de la hanche, à certains problèmes cardiaques héréditaires et à des affections oculaires.

LE PROPRIÉTAIRE DOIT... posséder une grande expérience dans la possession de grands chiens, avoir accès à de grands espaces en plein air pour faire de l'exercice, disposer de temps pour éduquer et socialiser ce chien puissant et avoir conscience du potentiel de destruction de ce chien s'il n'est pas contrôlé correctement. Ce chien est à déconseiller aux novices et à tous ceux qui ne sont pas prêts à passer beaucoup de temps à éduquer, entraîner et s'occuper de leur chien.

L'histoire du doberman est mieux connue que celle de nombreuses autres races : il porte le nom de celui qui l'a créé pendant la deuxième moitié du XIXᵉ siècle, Louis Dobermann, un collecteur d'impôts allemand qui s'occupait également de la fourrière locale. Idéalement placé pour mener des expériences lorsqu'il voulut un nouveau chien de garde, il décida de créer le sien. Il obtint le doberman, qui apparut pour la première fois dans les années 1880.

D'allure élégante et sobre, le doberman moderne n'a pas beaucoup changé depuis la version de Louis Dobermann, mis à part le fait qu'il n'est plus sélectionné pour favoriser l'agressivité. Résultant de croisements entre le pinscher allemand et le rottweiler avec des apports de sang de terrier de Manchester et vraisemblablement de chien d'arrêt allemand (des passionnés ont également suggéré l'apport de sang de lévrier anglais et de braque de Weimar), ce grand chien est musclé et athlétique et possède un regard brillant, alerte et vigilant. Il est aujourd'hui toujours largement employé comme chien de garde et son intelligence ainsi que sa docilité l'ont rendu populaire pour un grand nombre de rôles, d'auxiliaire de police à chien guide d'aveugle. Chien d'exposition aux multiples récompenses, il réussit également très bien dans les concours d'agility.

Le doberman est de plus un animal de compagnie populaire bien que cette race impose des contraintes assez importantes à ses maîtres.

Moins féroce que sa première incarnation, le doberman moderne reste un chien qui a été développé en premier lieu comme chien de garde, il peut donc se montrer agressif avec les autres chiens et méfiants et suspicieux vis-à-vis des étrangers. Ces spécificités alliées à un physique extrêmement puissant signifient que le doberman doit suivre un dressage cohérent et consciencieux et passer par une phase de socialisation avec une personne avertie pour qu'il puisse tirer parfaitement profit de son potentiel et lisser tous ses troubles comportementaux bien avant qu'ils ne deviennent problématiques. Quiconque désire acquérir un chiot doit se renseigner soigneusement au préalable sur les géniteurs avant de passer à l'achat.

Un doberman correctement éduqué fera un compagnon parfait et loyal bien qu'il ne constitue pas un choix approprié pour les personnes ayant des enfants en bas âge ou n'étant pas en condition physique de lui faire faire tout l'exercice dont il a besoin.

OREILLES Naturellement tombantes, attachées haut sur la tête, au niveau du haut du crâne. La tradition voulait qu'on coupe les oreilles du doberman en pointe pour accentuer l'apparence « en alerte » du chien, comme on peut le voir ici. Cette pratique inutile est de moins en moins pratiquée aujourd'hui et est illégale dans de nombreux pays.

TÊTE Large au sommet et s'effilant pour se terminer en une mâchoire plus étroite, puissante et de forme cunéiforme.

YEUX Expressifs, foncés, de taille moyenne, en amande et profondément enfoncés dans les orbites.

LIGNE DU DESSUS Le dos est court par rapport à la taille du chien et n'est que peu incliné en partant d'un cou musclé jusqu'à la naissance de la queue du chien.

POITRINE Large et assez descendue, elle remonte vers le ventre bien relevé donnant au doberman une allure élégante et bien dessinée au niveau de la taille.

PATTES AVANT Extrêmement droites et puissantes, avec une ossature et une musculature solides. Elles sont attachées au niveau des côtés du poitrail donnant au chien une apparence « carrée » quand on le voit de face.

PIEDS De taille moyenne, nets et compacts, tournés vers l'avant dans le prolongement de ligne droite de la patte.

Terre-neuve

CARACTÉRISTIQUES

TAILLE Mâle, hauteur au garrot, 66-71 cm ; femelle, hauteur au garrot, 63,6-69 cm.

SILHOUETTE Majestueusement grand et large, avec un pelage lourd et une tête noble et carrée, ce chien énorme donne à la fois une impression de puissance et de douceur.

ROBE Réputé pour ses capacités de nageur, le terre-neuve possède un long pelage double incroyablement dense. Le poil de couverture peut être droit ou légèrement ondulé, il est imperméable, c'est-à-dire que l'eau roule sur le poil sans y pénétrer. Le sous-poil est doux et épais. Les couleurs incluent le noir, le marron et le gris, unis ou avec des marques blanches, ainsi qu'un mélange blanc et noir connu sous le nom de « landseer ».

SANTÉ DE LA RACE Les terre-neuve ont une prédisposition à la torsion-dilatation de l'estomac, à la dysplasie de la hanche et du coude et à certains problèmes cardiaques. Pour des raisons évidentes, ils peuvent aussi souffrir de coups de chaleur quand les températures sont élevées.

LE PROPRIÉTAIRE DOIT... avoir les fonds et l'espace nécessaires pour adopter cet énorme chien et faire preuve un intérêt durable pour établir une relation à long terme avec lui. Les terre-neuve accordent une importance énorme à leurs maîtres.

Il existe de nombreuses théories quant aux origines lointaines de cet immense chien, certaines plus vraisemblables que d'autres, mais on sait avec certitude qu'au milieu du XIXe siècle, il travaillait avec les pêcheurs dans la région de Terre-Neuve au Canada sous une apparence ressemblant à sa forme actuelle. Il les aidait à tirer les filets et était très réputé comme sauveteur car il possédait suffisamment de force pour transporter un homme en train de se noyer sur le rivage.

Massif mais doux, il est plus que probable que le terre-neuve ait été créé à partir de chiens d'eau et de chiens de berger. D'après certains, il serait un lointain descendant du mastiff tibétain avec lequel il a une certaine ressemblance – cependant le mystère demeure quant à savoir comment une race originaire des montagnes d'Asie aurait pu se retrouver au Canada au XIXe siècle. Sa vie active ne s'est pas limitée à être l'« ami du pêcheur » car il a également été utilisé comme chien de traîneau et comme animal de trait, rôles qui tiraient profit de sa force herculéenne.

Du point de vue du caractère, ce chien est l'un des plus stables et des plus loyaux. Calme, non agressif, patient et totalement dévoué à son maître ou à sa famille, il endosse lui-même le rôle de gardien et de protecteur des personnes qui l'entourent. Le terre-neuve peut d'ailleurs s'enorgueillir d'avoir de nombreux admirateurs ; tout comme Landseer qui adorait peindre ce chien et a donné son nom à la variété noire et blanche, le poète Byron en était un fervent admirateur. L'épitaphe touchante qu'il dédia à son terre-neuve, Boatswain, reste un hommage fidèle aux qualités de la race :

« ... Les restes d'un être qui posséda la beauté sans la vanité,

La force sans l'insolence,

Le courage sans la férocité,

Et toutes les vertus de l'homme sans ses vices. »

Adopter un terre-neuve comme animal de compagnie requiert un fort investissement en temps et en argent. Bien que son pelage soit imperméable, de sorte que la prédilection de ce chien pour l'eau ne constitue pas un problème, ses besoins en toilettage sont considérables. Tout ce qui le concerne prend des proportions massives, ce qui signifie notamment qu'il coûte cher à nourrir et qu'il a besoin de beaucoup d'espace. À cause de son lourd pelage, il ne supporte pas bien la chaleur. En revanche, en termes de tempérament et de loyauté, les amateurs de cette race proclameront qu'elle n'a que peu, voire pas, d'égales.

TÊTE Immense et large avec un stop prononcé à la naissance du museau. Les yeux de couleur marron sont expressifs et intelligents.

OREILLES Assez petites (par rapport à la taille du chien) et triangulaires, elles sont attachées au niveau de la ligne du dessus des yeux et pendent le long des joues.

LIGNE DU DESSUS Longue et horizontale, la queue suivant la ligne naturelle du dos. La cage thoracique est à la fois large et bien descendue.

QUEUE Longue et densément poilue, en général portée tombante, parfois avec légèrement courbée à l'extrémité.

PIEDS Larges et ronds semblables à ceux d'un chat avec des orteils palmés et des coussinets épais et lourds.

| ● MÉMO | EXERCICE 🐾🐾🐾 | ENTRETIEN 🐾🐾🐾🐾🐾 ÉDUCATION 🐾🐾 | PRIX DE REVIENT 🐾🐾🐾🐾🐾 |

Dogue allemand

CARACTÉRISTIQUES

TAILLE Mâle, hauteur au garrot, 84-91 cm ; femelle, hauteur au garrot, 76-84 cm.

SILHOUETTE Chien majestueux, l'un des plus grands au monde, avec une carrure gracieuse et compacte, des pattes longues et une tête noble avec une expression calme et douce caractéristique.

ROBE Pelage court, épais et brillant dans une variété de couleurs dont le noir uni, le gris acier, le fauve, le blanc et noir (« arlequin ») et le bringé.

SANTÉ DE LA RACE Prédispositions à la dysplasie de la hanche, à certains cancers et à des problèmes cardiaques. Comme d'autres chiens à la poitrine bien descendue, le dogue allemand peut également souffrir de torsion-dilatation de l'estomac, un trouble digestif majeur qui requiert l'intervention urgente d'un vétérinaire.

LE PROPRIÉTAIRE DOIT... avoir l'énergie et les fonds nécessaires pour s'occuper de cet immense chien. Les dogues allemands coûtent cher en nourriture, en notes de vétérinaire et en toilettage. À cause de leur taille, ils ont également besoin d'un dressage consciencieux : un dogue allemand trop enthousiaste peut faire de vrais ravages.

Appelé aussi grand danois, le dogue allemand est pourtant comme son nom l'indique originaire d'Allemagne où il porte le nom de deutsche dogge (*Dogge* signifiant « mastiff » en allemand). Créés à partir du croisement de divers types de mastiffs originaires de ce pays, les deux principaux prédécesseurs du dogue, l'ulmer dogge et le danisch dogge qui lui ressemblent beaucoup, ont été présentés pour la première fois lors d'une exposition à Hambourg en 1863, puis les races ont été fusionnées sous un nom commun en 1876.

Le dogue allemand a été proclamé cette année chien national de l'Allemagne ; même le chancelier de fer, Bismarck, était amateur de cette gigantesque mascotte teutonique. Antérieurement dans l'histoire de la race, ces chiens furent fréquemment utilisés comme chiens de travail en tant que chien de garde et compagnon de chasse notamment. Il est aujourd'hui surtout élevé comme animal de compagnie.

L'apparence du dogue allemand n'a pas beaucoup changé depuis que les premiers dogues ont été créés il y a près de cent ans, mais leur tempérament s'est adouci. Le dogue allemand moderne est en général doux, amical et distingué dans ses manières bien qu'il puisse se montrer réservé vis-à-vis des étrangers et doit être réprimandé lorsqu'il commence à être surprotecteur avec ses maîtres ou à avoir un comportement trop territorial à la maison. Cette race n'est pas particulièrement difficile à éduquer : docile et intelligent, les principales difficultés que pose ce chien ont à voir avec sa taille. Les acquéreurs potentiels doivent sérieusement penser à l'espace immense que prendra un dogue allemand dans la maison même s'il est facile à vivre : en dépit du fait qu'il soit un chien attirant, il représente un engagement important comme animal de compagnie.

Sa belle allure est très caractéristique : la tête a une apparence noble et robuste, témoignant de l'héritage du mastiff, et la carrure du chien, si l'on fait abstraction de sa taille impressionnante, est élancée, gracieuse et particulièrement harmonieuse quand le chien court à pleine vitesse. Comme d'autres races de très grande taille, le dogue allemand a malheureusement une courte espérance de vie, avec une moyenne de huit à neuf ans. Et comme tout ce qui concerne ce chien, les notes de vétérinaire sont susceptibles d'être élevées plus il avancera en âge et plus ses problèmes de santé se multiplieront.

YEUX En général foncés (bien que les chiens à la robe arlequin puissent avoir les yeux clairs), de taille moyenne et profondément enfoncés dans les orbites avec une musculature prononcée au-dessus des orbites donnant au chien des « sourcils » bien visibles.

TÊTE Grande et rectangulaire, la face étant bien dessinée. La truffe est carrée et de couleur noire ou noir bleuté.

OREILLES De taille moyenne et attachées haut sur la tête, elles tombent vers l'avant le long des joues en un pli léger.

QUEUE Large à la naissance et formant un prolongement naturel à la colonne vertébrale, la queue tombe droite lorsque le chien est détendu mais peut être légèrement courbée quand il est excité ou en mouvement.

PATTES Les pattes avant et arrière sont assez longues par rapport à la taille du chien, avec une ossature puissante et un bon développement musculaire sans être trop lourdes.

PIEDS Grands et robustes avec des coussinets ronds et épais et des orteils bien cambrés. Le standard de la race préconise des ongles foncés et les ongles pâles constituent un défaut.

MÉMO EXERCICE 🐾🐾🐾 ENTRETIEN 🐾🐾 ÉDUCATION 🐾🐾 PRIX DE REVIENT 🐾🐾🐾🐾🐾

Akita

CARACTÉRISTIQUES

TAILLE Mâle, hauteur au garrot, 66-71 cm ; femelle, hauteur au garrot, 61-66 cm.

SILHOUETTE Compacte, alerte et massive avec une tête puissante et musclée de forme triangulaire avec un museau carré.

ROBE Pelage double dense avec un sous-poil doux et un poil de couverture épais, droit et dru donnant au chien une apparence très touffue et bourrue. La robe peut être de n'importe quelle couleur ou combinaison de couleurs.

SANTÉ DE LA RACE Prédispositions héréditaires à la dysplasie de la hanche et à des pathologies immunitaires. Ce chien ne supporte pas les fortes chaleurs.

LE PROPRIÉTAIRE DOIT... faire preuve de patience et de détermination pour éduquer ce chien de combat afin qu'il endosse correctement son rôle moderne d'animal de compagnie.

Créé comme chien de combat au Japon son pays natal, l'Akita est un beau chien puissant au tempérament réservé. Bien qu'il soit aujourd'hui plus souvent utilisé comme chien de garde et de compagnie, il requiert un élevage sélectif et une éducation très attentive pour éradiquer toute tendance à l'agressivité. Il ne constitue pas un choix astucieux pour les novices.

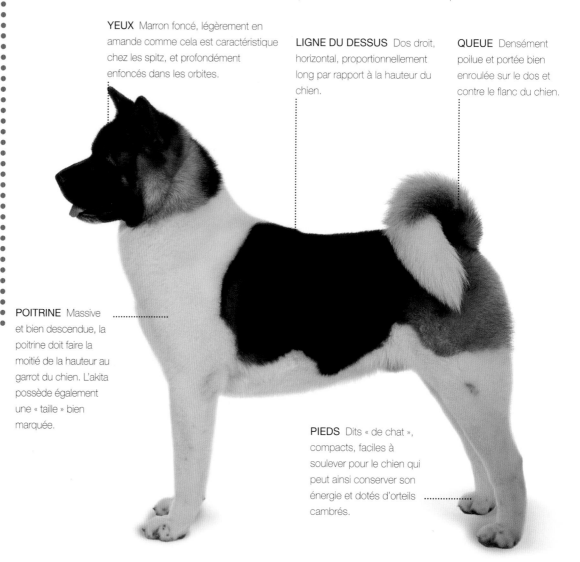

YEUX Marron foncé, légèrement en amande comme cela est caractéristique chez les spitz, et profondément enfoncés dans les orbites.

LIGNE DU DESSUS Dos droit, horizontal, proportionnellement long par rapport à la hauteur du chien.

QUEUE Densément poilue et portée bien enroulée sur le dos et contre le flanc du chien.

POITRINE Massive et bien descendue, la poitrine doit faire la moitié de la hauteur au garrot du chien. L'akita possède également une « taille » bien marquée.

PIEDS Dits « de chat », compacts, faciles à soulever pour le chien qui peut ainsi conserver son énergie et dotés d'orteils cambrés.

MÉMO   EXERCICE 🐾🐾🐾🐾🐾   ENTRETIEN 🐾🐾🐾   ÉDUCATION 🐾🐾🐾🐾   PRIX DE REVIENT 🐾🐾🐾🐾

Husky sibérien

Depuis leur passé en tant que chiens de traîneaux des tribus tchouktches en Sibérie réputés pour leur incroyable endurance, les huskies ont prouvé qu'ils savaient s'adapter pour devenir aujourd'hui de véritables chiens de compagnie. Ils sont intelligents mais peuvent s'avérer difficiles à éduquer et possèdent en général une personnalité amicale et décontractée. Ils s'entendent bien avec les autres chiens et les enfants et s'intègrent allègrement dans un environnement domestique pour peu qu'on leur témoigne suffisamment d'attention et qu'on leur fasse faire assez d'exercice.

CARACTÉRISTIQUES

TAILLE Mâle, hauteur au garrot, 53-58 cm ; femelle, hauteur au garrot, 51-56 cm.

SILHOUETTE Beau chien, athlétique, gracieux et souple lorsqu'il est en mouvement, arborant une expression amicale et absorbée.

ROBE Les huskies possèdent un pelage double de longueur moyenne de n'importe quelle couleur. Le sous-poil est épais et doux. Ce chien perd ses poils en grande quantité deux fois par an.

SANTÉ DE LA RACE Généralement très bonne avec aucun défaut génétique général mais fortement sujet aux coups de chaleur à cause de sa fourrure épaisse.

LE PROPRIÉTAIRE DOIT... avoir du temps à consacrer au brossage de ce chien qui perd énormément de poils et pour lui faire faire de l'exercice régulièrement. Si on l'emmène faire une longue promenade chaque jour et qu'on lui témoigne suffisamment d'attention, le husky est facile à vivre à la maison.

OREILLES Attachées haut sur la tête, de taille moyenne, triangulaires et portées dressées. Les oreilles de ce chiot vont encore grandir !

TÊTE Crâne légèrement arrondi sur le dessus et s'effilant vers un museau de longueur moyenne.

YEUX En amande et placés légèrement en oblique. Ils peuvent être d'un bleu clair intense ou marron, les yeux vairons (un de chaque couleur) sont acceptés dans le standard de la race et ne sont pas inhabituels.

TRUFFE Le standard de la race préconise qu'elle soit noire sur les chiens gris, feu ou noirs, foie sur les chiens à la robe cuivre et chair sur les chiens blancs.

PIEDS Ovales et de taille moyenne, avec des coussinets ronds et durs et un pelage épais entre les orteils.

MÉMO   EXERCICE 🐾🐾🐾🐾   ENTRETIEN 🐾🐾🐾🐾   ÉDUCATION 🐾🐾🐾   PRIX DE REVIENT 🐾🐾🐾

Samoyède

CARACTÉRISTIQUES

TAILLE Mâle, hauteur au garrot, 53-60 cm ; femelle, hauteur au garrot, 48-53 cm.

SILHOUETTE Grand et beau chien de la famille des spitz avec une robe fournie de couleur pâle, une carrure équilibrée et une queue densément poilue et en courbe.

ROBE Pelage double très épais, le sous-poil est doux, épais et serré contre la peau, le poil de couverture est dense, droit et dru. La couleur usuelle est blanc pur ou crème pâle, bien qu'une teinte beige uni existe aussi et certains chiens blancs présentent des marques beige.

SANTÉ DE LA RACE Généralement bonne bien qu'il y ait une certaine prédisposition à des problèmes oculaires et à la dysplasie de la hanche. Les samoyèdes peuvent souffrir d'une pathologie spécifique à leur race appelée glomérulopathie héréditaire, une maladie rénale très grave. Les animaux affectés ne doivent pas être utilisés comme reproducteurs et les personnes cherchant un chiot doivent vérifier que ses géniteurs sont exempts de cette maladie.

LE PROPRIÉTAIRE DOIT... être en forme et actif pour faire faire à ce chien autant d'exercice qu'il a besoin et avoir suffisamment de temps à consacrer à son éducation et à son toilettage.

Portant le nom des Samoyèdes, les tribus sibériennes qui les utilisaient comme principal chien d'utilité, le samoyède est l'un des nombreux chiens de travail puissants et de grande taille de la famille des spitz originaires du Grand Nord. Ce chien à la beauté exceptionnelle est doté d'une magnifique robe blanche et d'un beau visage inquisiteur. Élevée pour effectuer toutes sortes de tâches, notamment tirer les traîneaux et garder les rennes, cette race fit rapidement sensation comme chien d'exposition et de compagnie.

Les samoyèdes participèrent en tant que chiens de traîneau à de nombreuses expéditions polaires bien que cette race ne soit pas aussi résistante que d'autres chiens élevés spécifiquement pour cette tâche. Véritable chien polyvalent dans son pays natal, le samoyède (chose assez inhabituelle pour un chien de travail) vivait avec sa famille et dormait même avec ses maîtres, son pelage chaud étant particulièrement appréciable sous des températures inférieures à 0 °C. On pense qu'il s'agit de l'une des races de chien les plus anciennes, des tests ayant établi qu'ils n'ont fondamentalement pas changé depuis presque trois mille ans.

Si le samoyède n'a pas acquis le type de popularité écrasante qui peut être préjudiciable pour une race, il a néanmoins toujours bénéficié d'un groupe enthousiaste d'amateurs. Ces chiens possèdent un certain nombre de qualités innées : de manière inaccoutumée, il ne dégage pratiquement aucune odeur et est donc apprécié des personnes qui n'aiment pas les odeurs de chien. Ils sont également très méthodiques, presque comme des chats, en ce qui concerne leur toilette. Le samoyède perd énormément de poils deux fois par an et pendant ces périodes, il peut avoir besoin des services d'un toiletteur professionnel. Ce chien possède une autre caractéristique attachante : son « sourire » qu'il semble arborer dès qu'il est détendu et qui lui confère une expression extrêmement humaine. Les samoyèdes font d'excellents chiens de famille, d'humeur égale avec les enfants, enjoués et vifs. Ils ne s'entendent pas toujours très bien avec les autres chiens bien que cela puisse varier selon les animaux. Ils ne font pas des chiens de garde efficaces car ils sont trop gentils et ouverts pour donner l'alerte à l'approche d'étrangers. Le samoyède a besoin de faire énormément d'exercice et constitue donc un choix approprié pour les personnes jeunes et en bonne condition physique. Dans des climats plus froids, il peut faire un très bon compagnon de jogging.

OREILLES Pointues et de taille moyenne, portées très droites et attachées pour ainsi dire sur les bords extérieurs de la tête. Densément garnies de poils, à l'intérieur comme à l'extérieur.

YEUX Regard enjoué et vif, yeux de couleur foncée et très en amande, assez enfoncés dans les orbites et cerclés de noir.

CARRURE

L'abondant pelage, généralement avec une collerette fournie autour du cou et au niveau du poitrail, dissimule la carrure du samoyède qui est celle d'un chien en bonne condition physique, bien trapu mais capable d'une grande agilité et d'une bonne vitesse de pointe.

TÊTE Cunéiforme, profonde et s'effilant graduellement. La truffe est en général noire mais peut être marron plus clair ou de couleur foie. Les lèvres sont un peu retroussées et cerclées de noir ce qui donne au chien son « sourire » si caractéristique.

QUEUE Très densément couverte de poils en plumeau et portée fortement enroulée sur le dos. Lorsque le chien est au repos, il arrive qu'elle soit pendante.

PIEDS Grands, longs et dits « de lièvre », les deux orteils centraux étant plus longs que les autres. Coussinets épais et puissants séparés par une touffe de poils denses donnant au chien des pieds très forts et imperméables.

Rottweiler

CARACTÉRISTIQUES

TAILLE Mâle, hauteur au garrot, 61-69 cm ; femelle, hauteur au garrot, 56-69 cm.

SILHOUETTE Chien à poil court, très robuste et puissant avec une grosse tête rectangulaire et une carrure musclée et compacte.

ROBE Pelage double serré, le poil de couverture est plat, le sous-poil est relativement léger et parfois présent uniquement sur le cou et le haut des pattes. La couleur de fond est noir uni avec des marques rouille ou acajou plus foncé sur la tête, le bas des pattes et l'intérieur des pattes arrière.

SANTÉ DE LA RACE Les rottweilers sont en général vigoureux et en bonne santé mais ils ont une certaine prédisposition à la dysplasie de la hanche et du coude, à la torsion-dilatation de l'estomac et à des affections oculaires, notamment l'entropion, renversement douloureux des paupières en dedans. Les rottweilers mal éduqués peuvent avoir des problèmes d'agressivité. Achetez toujours votre chien chez un éleveur réputé et sérieux.

LE PROPRIÉTAIRE DOIT... avoir de l'expérience, du temps et de la détermination pour éduquer consciencieusement et pleinement ce chien dominant, ainsi que le goût de l'exercice.

Le nom rottweiler vient de la ville de Rottweil près de la Forêt Noire dans le sud-ouest de l'Allemagne. Il s'appelait à l'origine rottweiler metzgerhund, littéralement le « chien du boucher », parce qu'entre autres tâches, ce chien grand et fort était utilisé pour tirer le chariot qui transportait la viande. Le rottweiler était également employé comme chien de garde et gardien de troupeau. Ses origines lointaines sont inconnues mais il existe sous sa forme actuelle depuis au moins 150 ans et sans doute plus.

Cette race a gagné ses galons pendant la Première Guerre mondiale en travaillant comme auxiliaire de l'armée et de la police et est devenue célèbre en dehors d'Allemagne. Elle fut reconnue pour la première fois par l'American Kennel Club en 1935, mais elle mit plus de temps à devenir populaire au Royaume-Uni où elle ne fut enregistrée au Kennel Club qu'en 1965. Le rottweiler est toujours largement utilisé comme chien de garde et auxiliaire de police mais est aujourd'hui également apprécié comme animal de compagnie.

Le rottweiler constitue une option séduisante pour les amateurs de chiens compte tenu de son indéniable loyauté, de sa valeur en tant que gardien et de son allure puissante et esthétique. Ces qualités ont été une bénédiction en demi-teinte pour cette race car il s'agit d'un chien extrêmement exigeant si on le prend comme animal de compagnie. Les rottweilers sont très intelligents et ont besoin de faire énormément d'exercice régulièrement ; par ailleurs, ils présentent un comportement très territorial et, à moins d'être éduqués consciencieusement et pleinement par une personne possédant beaucoup d'expérience avec les gros chiens, leurs instincts territoriaux et de gardien, alliés à leur force, peuvent en faire des chiens dangereux à garder à la maison. Cette race n'est pas conseillée comme premier chien, à des personnes inexpérimentées et par-dessus tout à ceux qui veulent simplement avoir l'air forts.

Si vous pouvez répondre aux besoins du rottweiler en termes de socialisation et de dressage, en commençant dès le plus jeune âge et en persévérant pendant toute sa vie d'adulte, il fera un merveilleux chien de compagnie. Il s'entend bien avec les enfants (même s'il ne faut jamais le laisser sans surveillance avec eux), est joueur et enthousiaste avec les personnes qu'il connaît et prudent mais pas méchant avec les étrangers. Ses qualités l'emportent largement sur ses défauts, mais uniquement lorsqu'il est bien éduqué dans un environnement approprié.

YEUX Marron foncé, en amande, de taille moyenne et pas trop enfoncés dans les orbites.

TÊTE Carrée et puissante, large entre les oreilles, front légèrement convexe vers le crâne. Le pelage est serré contre la tête bien que le front puisse présenter des rides profondes lorsque le chien est en alerte.

OREILLES Triangulaires et attachées alignées avec le haut du crâne, elles pendent le long des joues lorsque le rottweiler est au repos mais se dressent à la base lorsqu'il est excité. Elles semblent alors agrandir la largeur de la tête.

LIGNE DU DESSUS Horizontale et droite avec une pente très légère vers le bas au-dessus de l'arrière-train. Même en mouvement, ce chien transmet une impression compacte et robuste.

QUEUE Traditionnellement écourtée bien que ce soit aujourd'hui illégal au Royaume-Uni et dans la majeure partie de l'Europe. Elle est large à la naissance et s'effile légèrement, non coupée elle est de taille moyenne. En général portée bas et jamais au-dessus de la ligne du dos même lorsque le chien est en train de courir.

PIEDS Grands et très puissants, de forme ronde, modérément cambrés vers les orteils, avec des coussinets denses et épais.

 MÉMO   EXERCICE 🐾🐾🐾🐾   ENTRETIEN 🐾   ÉDUCATION 🐾🐾🐾🐾   PRIX DE REVIENT 🐾🐾🐾

Schnauzer géant

CARACTÉRISTIQUES

TAILLE Mâle, hauteur au garrot, 65-70 cm ; femelle, hauteur au garrot, 60-65 cm.

SILHOUETTE Grand chien de travail, puissant et robuste arborant la barbe et la moustache caractéristiques du schnauzer géant.

ROBE Pelage double, dur en « fil de fer ». Poil de couverture très épais et sous-poil doux. La robe peut être noir uni ou « sel et poivre », c'est-à-dire des poils noirs et blancs rayés qui semblent grisonnants de loin.

SANTÉ DE LA RACE Ce chien peut souffrir d'une variété de pathologies héréditaires dont des maladies de la hanche et des articulations ainsi que des affections oculaires. Il faut vérifier scrupuleusement les géniteurs.

LE PROPRIÉTAIRE DOIT... avoir beaucoup d'espace et de patience pour éduquer et socialiser cet immense chien.

Développé à l'origine près de Munich en Bavière comme conducteur de bétail, le schnauzer géant est le plus grand des trois schnauzers mais possède une apparence identique aux autres, dans un format beaucoup plus grand. Lorsque son rôle est devenu superflu, il a été pendant un temps utilisé comme chien de garde mais est aujourd'hui dans la plupart des cas élevé comme animal de compagnie.

TÊTE Longue et rectangulaire de profil arborant une barbe et des sourcils proéminents ainsi que des oreilles de taille moyenne repliées vers l'avant en forme de V.

DOS Très musclé et compact, avec une cage thoracique bien descendue et une ligne du dessus droite partant de la base du cou bien cambré et robuste.

QUEUE Lorsqu'on la laisse à l'état naturel, elle est puissante et de longueur moyenne. Jusqu'à récemment, elle était écourtée jusqu'à la deuxième ou troisième articulation, bien que cette pratique ait tendance à disparaître.

PATTES Longues et robustes à l'ossature puissante, les pattes antérieures et postérieures sont droites lorsque le chien est vu de face ou de derrière. Pieds « de chat », compacts avec des orteils bien cambrés et des ongles foncés.

MÉMO   **EXERCICE** 🐾🐾🐾🐾   **ENTRETIEN** 🐾🐾🐾   **ÉDUCATION** 🐾🐾   **PRIX DE REVIENT** 🐾🐾🐾🐾

Bouvier bernois

Ce chien est originaire du canton suisse de Bern et était utilisé dans son pays natal pour garder le bétail et tirer les charrettes (traditionnellement les chariots de lait). Il fait un animal de compagnie calme et affectueux bien que son tempérament sensible signifie qu'il doit être éduqué et socialisé attentivement et toujours traité avec gentillesse.

YEUX De taille moyenne, ovales et marron foncé avec un regard attentif et sérieux.

TÊTE Très belle, large sur le dessus et dotée d'un museau puissant et droit. La truffe est grande, carrée et noire.

POITRINE Bien descendue et assez large, elle atteint les coudes du chien à son point le plus bas.

OREILLES Attachées haut, alignées avec le sommet aplati de la tête, de taille et de longueur moyennes, elles pendent le long des joues du chien.

QUEUE Pleine et touffue ; portée bas lorsque le chien est au repos et pas plus haut que la ligne du dessus du corps lorsqu'il est en mouvement.

PATTES Puissantes et à la forte ossature, les pattes avant comme arrière sont assez droites. Les pieds du bouvier bernois sont grands, avec des coussinets fermes et bien serrés et des orteils bien cambrés.

CARACTÉRISTIQUES

TAILLE Mâle, hauteur au garrot, 63,5-70 cm ; femelle, hauteur au garrot, 58-66 cm.

SILHOUETTE Grand chien de travail à la carrure compacte mais pas trop lourde.

ROBE Pelage épais, long et brillant ; droit ou légèrement ondulé. Le fond de la robe est noir avec une bavette blanche, une liste blanche sur le visage et des pieds blancs ainsi quelques petites traces feu.

SANTÉ DE LA RACE Ce chien a une espérance de vie courte avec une moyenne de seulement 7 à 8 ans et une longue liste de problèmes génétiques – il est donc essentiel de ne s'adresser qu'à un éleveur attentif et réputé. Les bouviers bernois sont particulièrement sujets au cancer, à l'épilepsie et à des problèmes des articulations.

LE PROPRIÉTAIRE DOIT... consacrer suffisamment de temps nécessaire à l'éducation réfléchie et posée de ce chien et être prêt à faire face à des notes de vétérinaire élevées.

Montagne des Pyrénées

CARACTÉRISTIQUES

TAILLE Mâle, hauteur au garrot, 69-81 cm ; femelle, hauteur au garrot, 63,5-74 cm.

SILHOUETTE Très semblable au terre-neuve, ce chien se distingue par sa couleur plus pâle et sa tête moins massive. Il s'agit d'un chien puissant, fort et bien charpenté, au regard intelligent.

ROBE Poil de couverture plat, long et imperméable sur un sous-poil court et laineux. Présence d'une collerette autour du cou. La robe est blanche, parfois avec des marques feu, grises ou noires.

SANTÉ DE LA RACE Quelque prédisposition à la dysplasie de la hanche, à une laxité du genou et des problèmes osseux.

LE PROPRIÉTAIRE DOIT... avoir du temps, de l'argent et de la place pour éduquer, entretenir et apprécier ce chien majestueux et séduisant mais également exigeant et lui faire faire de l'exercice.

Élevé comme gardien des troupeaux de moutons dans les Pyrénées pendant de nombreuses années, ce chien puissant était censé repousser toutes les menaces, notamment les voleurs de bétail et les loups. Il est encore parfois utilisé comme gardien de troupeau, mais on le voit aujourd'hui fréquemment dans les expositions et comme animal de compagnie chez ceux qui peuvent lui fournir tout l'espace dont il a besoin, à l'intérieur et à l'extérieur comme à l'extérieur. Le montagne des Pyrénées est calme et réservé mais en général dévoué à son entourage immédiat.

QUEUE Densément touffue et portée bien au-dessus du dos lorsque le chien est en alerte. Au repos, elle tombe en ligne droite avec un petit crochet à l'extrémité.

TÊTE Forte mais bien proportionnée ; tête cunéiforme large avec des yeux marron foncé en oblique et une truffe et des lèvres noires.

POITRINE La cage thoracique modérément descendue atteint les coudes du chien ; le devant du poitrail est large et puissant.

PATTES ARRIÈRE Particularité de ce chien, il possède des griffes à « double ergot » sur les pattes arrière. Elles n'ont aucune fonction apparente.

Chien d'eau portugais

La toilette inhabituelle de ce chien (similaire à celle des caniches d'exposition) dissimule sa véritable nature : il s'agit un chien de travail intelligent, dynamique, compact et bien charpenté. Il a été initialement développé par les pêcheurs le long de la côte portugaise pour les aider à tirer les filets, garder les bateaux et servir d'agent de liaison entre les bateaux et le rivage. Aujourd'hui, ce chien s'avère être un animal de compagnie très vivant.

QUEUE Attachée assez bas, puissante et large à la naissance, elle s'effile vers l'extrémité et est couverte du même pelage lourd que le reste du corps. Elle est utilisée comme rame et gouvernail lorsque le chien nage.

TÊTE Forme imposante, très large sur le dessus et s'effilant légèrement vers un museau carré et compact.

YEUX De taille moyenne et placés légèrement en oblique. Ils peuvent être noirs ou marron, selon la couleur de la robe.

LIGNE DU DESSUS Droite et horizontale, soulignant la silhouette agile et vigoureuse du chien.

CARACTÉRISTIQUES

TAILLE Mâle, hauteur au garrot, 51-58 cm ; femelle, hauteur au garrot, 43-53 cm.

SILHOUETTE Chien robuste et bien charpenté avec un pelage abondant qui transmet une impression d'équilibre et de santé.

ROBE Le somptueux et épais pelage simple de ce chien peut être bouclé ou légèrement ondulé. Il couvre complètement le corps et peut être diverses couleurs dont le noir uni, le blanc et le marron, le noir ou le marron avec des marques blanches.

SANTÉ DE LA RACE Vigoureuse et en majeure partie exempte de problèmes génétiques. Une certaine prédisposition à la dysplasie de la hanche et à la cataracte.

LE PROPRIÉTAIRE DOIT... avoir du temps à consacrer à ce chien sociable et pouvoir lui permettre de nager pendant ses séances d'exercice.

MÉMO **EXERCICE** 🐾🐾🐾 **ENTRETIEN** 🐾🐾🐾🐾 **ÉDUCATION** 🐾🐾🐾 **PRIX DE REVIENT** 🐾🐾🐾

Terriers

Malgré leurs apparences très diverses, les terriers semblent partager la même personnalité. La plupart des gens adorent ou détestent tout simplement ces chiens combatifs et intrépides et en tant que futur propriétaire il est bon de savoir ce à quoi vous vous engagez avant d'en acquérir un. Du grand airedale au fougueux westie, ces chiens amusants, intelligents et provocateurs peuvent vous procurer beaucoup de plaisir avec quelques petits problèmes de discipline.

Westie

CARACTÉRISTIQUES

TAILLE Mâle, hauteur au garrot, 28 cm ; femelle, hauteur au garrot, 25 cm.

SILHOUETTE Petite et carrée avec une allure vive et confiante. Le comportement du westie vient corroborer l'impression immédiate de curiosité et d'intérêt qu'il dégage pour tout ce qui l'entoure.

ROBE Le pelage est dense et double : le poil de couverture dur est de longueur moyenne, le sous-poil est court, doux et duveteux. La couleur est blanc pur, sans marques colorées.

SANTÉ DE LA RACE Le westie est sujet à un grand nombre de maladies héréditaires, il faut donc vérifier soigneusement les géniteurs si vous achetez un chiot. Ces problèmes incluent une prédisposition plus élevée que la moyenne à des affections et allergies cutanées et une certaine prédisposition à la dysplasie de la hanche, à des problèmes auriculaires et au diabète.

LE PROPRIÉTAIRE DOIT... être disposé à donner beaucoup d'attention à ce chien et à lui procurer tout l'exercice et la stimulation dont il a besoin. Les westies aiment être constamment en contact avec leurs maîtres et souffrent énormément si on les ignore ou si on les laisse souvent seuls.

Le westie ou west highland white terrier est la quintessence du « grand chien dans un petit corps ». La seule chose de format réduit en ce chien est sa taille ; son allant, sa confiance en lui et son assurance ont tout de ceux d'un chien beaucoup plus grand. Les westies n'étaient traditionnellement pas très appréciés car leur couleur ne leur permettait pas de se camoufler face à leur proie lorsqu'ils chassaient avec leurs maîtres, si bien que le westie était un chien assez peu courant quand la couleur blanche fut délibérément sélectionnée dans l'élevage à la fin des années 1880.

La légende, peut-être erronée, veut que le colonel Malcolm, un chasseur qui vivait dans le comté d'Argyll dans l'ouest de l'Écosse, ait pour habitude de chasser le renard avec une meute de cairn terriers mais qu'un jour, trompé par sa robe rouille, il aurait abattu l'un de ses terriers préférés, l'ayant pris pour un renard. Contrarié par cette bévue, il commença à sélectionner délibérément la couleur blanche chez ses terriers pour s'assurer que le même accident ne se reproduirait plus. Que cette histoire soit véridique ou non, plusieurs tableaux représentent le colonel avec des chiens de couleur claire ressemblant beaucoup au westie que nous connaissons aujourd'hui.

L'attitude assez suffisante du westie ajoute beaucoup au charme de cette race très populaire. L'approche joueuse et prête à tout de ce chien qui en fit un terrier de travail efficace garantit aussi qu'il sera un animal de compagnie engagé qui s'intégrera facilement dans la plupart des foyers, bien qu'il puisse se montre agressif envers les autres chiens et doive être présenté avec précaution lorsqu'on veut l'intégrer dans une maison où il y a déjà des chiens. L'un des aspects les plus désopilants du westie est qu'il n'a visiblement pas du tout conscience de sa taille : pour voir le bon côté des choses, cela signifie que vous pourrez vous amuser inlassablement de le voir tourner à son avantage toutes les situations dans lesquelles il pourrait se retrouver. En revanche, il vous sera peut-être difficile d'empêcher ce chien de se laisser dépasser par les événements.

Les westies ont besoin d'activité pour éviter qu'ils ne fassent trop de bêtises. C'est un chien relativement bruyant et aura besoin d'une éducation consciencieuse pour qu'il ne commence pas à aboyer pour le plaisir.

YEUX En amande et de taille moyenne, ils regardent le monde sous de lourds sourcils blancs. Ce chien possède un regard extrêmement caractéristique – très intelligent, vif et plein d'énergie.

TRUFFE Carrée, noire et grande par rapport à la taille du chien. Les westies ont de la peau noire autour des lèvres et du museau et parfois de la peau plus foncée sous les yeux.

OREILLES Petites et attachées sur les bords du large crâne. Triangulaires, droites et tournées vers l'avant.

QUEUE Courte et épaisse (le standard de la race la décrit comme étant « en forme de carotte » !) et portée gaiement aussi droite que possible.

DÉMARCHE Conformément à son caractère, le westie possède une démarche guillerette, pleine d'allant, la patte antérieure se portant très loin en avant à chaque pas.

PIEDS Les pieds des pattes avant sont plus grands que ceux des pattes arrière, dotés de gros coussinets épais et tournés légèrement vers l'extérieur. Les pieds arrière doivent regarder vers l'avant du chien.

Airedale terrier

CARACTÉRISTIQUES

TAILLE Mâle, hauteur au garrot, 58-61 cm ; femelle, hauteur au garrot, 56-58 cm.

SILHOUETTE Grand et beau chien haut sur pattes avec une tête allongée et rectangulaire, une moustache et une barbe fournies – caractéristiques principales de cette race.

ROBE Poil dur et « fil de fer », légèrement ondulé chez certains chiens mais raide chez d'autres. Le sous-poil est doux mais inhabituellement court. La couleur est feu moyen sur tout le corps, à l'exception d'un manteau allongé de couleur noire ou grisonné qui s'étend sur le sommet du cou et la région supérieure de la queue. Il y a parfois une tache blanche sur le poitrail.

SANTÉ DE LA RACE Les airedales comptent parmi les terriers les plus sains mais la race présente une prédisposition à certaines maladies cutanées et à la dysplasie de la hanche.

LE PROPRIÉTAIRE DOIT... aimer le sport et avoir beaucoup de temps à consacrer à l'éducation de son chien – les airedales sont intelligents mais possèdent le caractère fort et indépendant caractéristique de nombreux terriers.

Portant le nom de la vallée de l'Aire dans le Yorkshire, ce grand chien puissant était initialement élevé pour chasser les loutres et s'est également avéré expert avec le gibier d'eau et les blaireaux. Il aurait été créé au milieu du XIXe siècle en croisant le chien de loutre ou otterhound avec un ou plusieurs types de terriers de travail et fut présenté pour la première fois dans les années 1880 bien qu'il fût également connu sous les noms de bingley terrier et waterside terrier avant que ses amateurs ne choisissent finalement son nom actuel.

L'introduction de sang de chien courant fit de l'airedale le plus grand chien du groupe des terriers. Il fut très couramment utilisé pour effectuer une grande variété de tâches. Avant l'apparition omniprésente du berger allemand, il était souvent dressé comme chien de police ; il fut aussi employé comme agent de liaison et comme chien de sauvetage pendant la Première Guerre mondiale et se révéla particulièrement doué pour localiser les blessés pour les ambulanciers.

L'airedale connut une grande vogue pendant les années 1930 et il fut de plus en plus élevé comme animal de compagnie et non plus exclusivement comme chien de travail. Il commença à être sélectionné en fonction de son apparence, les éleveurs se focalisant plus sur son physique esthétique que sur son utilité. Depuis cette époque, il est devenu moins fréquent comme chien de compagnie, notamment parce qu'il exige beaucoup de ses maîtres et qu'il ne convient pas aux personnes souvent absentes de leur domicile ou peu actives.

L'airedale est infatigable et intelligent et a besoin d'être sans cesse occupé, de préférence par des sessions de course athlétique en extérieur. Il constitue un excellent choix pour une personne dynamique qui veut un chien dévoué pour l'accompagner quand elle fait du sport. Les airedales adorent courir et contrairement à de nombreux terriers, ils aiment aussi l'eau (prédilection qui remonte à leur fonction initiale de chasseur de loutres). Cependant, si leur corps et leur esprit ne sont pas suffisamment sollicités, ils peuvent devenir destructeurs, creuser le sol, mâchouiller tout ce qui les entoure et aboyer inlassablement.

Ces chiens ne sont pas difficiles à éduquer mais ils mettent du temps à mûrir de sorte que le processus de dressage peut largement durer jusqu'à leur deuxième anniversaire voire au-delà. Un airedale bien éduqué et correctement socialisé vaut tous les efforts du monde : ses maîtres se verront alors récompensés par un animal de compagnie enthousiaste, dévoué et intelligent.

OREILLES De taille moyenne et portées un peu sur le côté, elles tombent vers l'avant en un joli V et sont pliées légèrement au-dessus du niveau du crâne.

YEUX Foncés et assez petits avec un regard intelligent et concentré, caractéristiques des terriers en général et de cette race en particulier.

TÊTE Longue et étroite, de forme rectangulaire quand on la regarde de profil et avec une fourrure très lourde autour du bas des joues et sous la mâchoire, donnant à l'airedale la barbe fournie caractéristique de la race.

POITRINE La poitrine de l'airedale est bien descendue, presque au niveau de coudes, mais elle n'est pas large.

PATTES AVANT Les pattes avant de l'airedale sont robustes et très droites. La toilette d'exposition laisse toute l'épaisseur des poils sur les pattes ; on pensait à l'origine que cela gardait les articulations du chien au chaud lorsqu'il devait passer un long moment dans l'eau glacée.

PIEDS Les pieds possèdent des coussinets épais et compacts et des ongles foncés. Ils sont petits par rapport à la taille du chien.

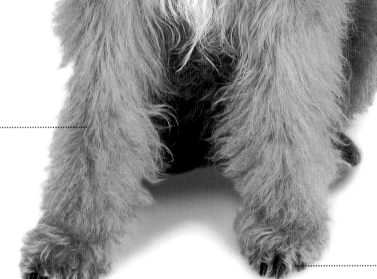

| MÉMO | EXERCICE 🐾 🐾 🐾 | ENTRETIEN 🐾 🐾 🐾 | ÉDUCATION 🐾 🐾 🐾 🐾 | PRIX DE REVIENT 🐾 🐾 🐾 |

Jack russell (parson russell) terrier

CARACTÉRISTIQUES

🐾 **TAILLE** Mâle, hauteur au garrot, 33-38 cm ; femelle, hauteur au garrot, 30-35 cm. (Les jack russells peuvent être de tailles très différentes, ces données sont approximatives, plus encore que pour la plupart des autres races.)

🐾 **SILHOUETTE** La carrure, la longueur des pattes et la forme de la tête peuvent varier selon les chiens mais le standard de la race requiert une silhouette robuste et équilibrée caractéristique d'un terrier de travail.

🐾 **ROBE** Il existe trois types de robe : lisse, « fil de fer » et « cassé » qui est un mélange de deux précédents. Quelle que soit la variété, le poil est serré, épais et assez court. Les couleurs sont le blanc ou le blanc avec des marques noires, feu ou grisonnées. Les robes tricolores sont une combinaison équilibrée de ces trois couleurs.

🐾 **SANTÉ DE LA RACE** Race en général robuste, saine et à la longue espérance de vie, bien qu'elle ait une certaine prédisposition à des luxations de la rotule et à des affections oculaires.

🐾 **LE PROPRIÉTAIRE DOIT...** avoir suffisamment d'énergie pour venir à bout de la prodigieuse endurance prodigieuse du jack russell et posséder un bon sens de l'humour pour éduquer ce chien extrêmement indépendant.

Pour de nombreux amateurs de terriers, c'est le jack russell qui définit le standard à la fois pour les bons et les mauvais traits du terrier. Ce petit chien possède une personnalité qui l'emporte de très loin sur sa petite taille. Pugnace, énergique, bavard, joueur et intelligent, le jack russell peut être adoré ou détesté mais il ne laisse personne indifférent. Certains puristes insistent sur le fait qu'il s'agit en réalité d'un groupe de types plutôt que d'une race unique en raison des apparences extrêmement variées des nombreux chiens qui la représentent.

Le jack russell original, l'homme et non le chien qui porte son nom, était un pasteur qui aimait la chasse et vivait dans le Devon, dans le sud-est de l'Angleterre, dans les années 1880 (il fut aussi l'un des premiers membres du British Kennel Club). Il créa le jack russell en croisant différents terriers de travail, dans le but de donner naissance à un petit chien assez vigoureux pour courir pendant la chasse et suffisamment intrépide pour suivre les renards jusque dans leurs terriers. Ses petits chiens dynamiques devinrent populaires dans la communauté des chasseurs et furent rapidement demandés comme animaux de compagnie.

Le jack russell est aujourd'hui enfin reconnu par le Kennel Club, sous le nom de parson russell terrier – il fut reconnu par le British Kennel Club en 1990 et par l'American Kennel Club en 2001. Le standard de la race en revanche fait toujours l'objet de certaines controverses, de nombreux chiens étant incontestablement considérés comme des jack russells n'entrant pas dans les critères relativement sectaires concernant l'apparence physique de la race.

Si l'on fait abstraction des standards de la race, la plupart des jack russells possèdent de nombreux points communs en termes de caractère. Ils ont l'esprit extrêmement vif et ont besoin d'un maître ferme et enjoué et de faire beaucoup d'exercice pour leur taille. Ils sont robustes et peuvent se révéler un peu querelleurs avec les autres chiens mais peuvent aussi être très joueurs. Quoi qu'il se passe autour de lui, ce terrier veut être au cœur de l'action. En tant que chiens de compagnie, les jack russells s'en sortent au mieux avec des personnes habituées aux terriers qui ont conscience de ce qu'elles peuvent obtenir ou non en matière d'éducation et qui accepteront cet amusant petit chien pour son caractère.

OREILLES Tombantes ou semi-tombantes, en forme de V et tournées vers l'avant. Une grande variété de tailles bien que le standard du parson russell stipule que les oreilles doivent être petites.

TÊTE De forme variable (chez certains chiens, le museau est considérablement plus effilé que chez d'autres) mais doit être proportionnée avec la taille du chien. La truffe est toujours noire.

YEUX Vifs et plein d'entrain, de couleur foncée et de taille moyenne, les yeux sont ronds ou en amande (le standard de la race parson russell requiert la forme en amande).

LIGNE DU DESSUS Droite et horizontale à partir de la base du cou et jusqu'à l'arrière-train.

QUEUE Souvent naturellement courte mais si ce n'est pas le cas, elle est fréquemment écourtée sur les chiens de travail. Large à la naissance et s'effilant très modérément vers l'extrémité.

PATTES Puissantes et de longueur assez variable ; le type parson russell possède des pattes plus longues que le chien plus compact et plus court sur pattes photographié ici.

MÉMO   EXERCICE 🐾 🐾 🐾 🐾   ENTRETIEN 🐾   ÉDUCATION   🐾 🐾 🐾   PRIX DE REVIENT   🐾

Bull terrier

CARACTÉRISTIQUES

🐾 **TAILLE** Mâle ou femelle, hauteur au garrot, 46-51 cm.

🐾 **SILHOUETTE** Chien robuste à la bonne musculature mais à la silhouette symétrique et équilibrée. Enjoué et énergique, le bull terrier doit dégager une impression de force et de vigueur.

🐾 **ROBE** Pelage extrêmement court, plat et serré sur un corps musclé. Les couleurs les plus fréquentes sont le blanc pur (parfois avec une tache noire au-dessus des yeux ou des marques noires sur la tête) ou le bringé, bien que le fauve, le rouge et des robes tricolores existent également.

🐾 **SANTÉ DE LA RACE** Chiens généralement très robustes avec peu de problèmes de santé. La variété blanche est parfois atteinte de surdité congénitale. Ce chien peut parfois souffrir de laxité du genou et d'allergies cutanées.

🐾 **LE PROPRIÉTAIRE DOIT...** avoir suffisamment de temps et de patience pour donner à ce chien intelligent mais parfois entêté une éducation ferme mais affectueuse et avoir conscience de l'importance de cette éducation compte tenu de l'extrême force du bull terrier.

D'apparence unique, le bull terrier fut développé comme chien de combat au début du XIXᵉ siècle. On pense que ces ancêtres incluaient des bouledogues et différents types de terriers, certains ayant aujourd'hui disparu, mais également et de manière tout à fait inattendue, des dalmatiens et peut-être des greyhounds ou des whippets. Dans les années 1850, un amateur du nom de James Hinks s'intéressa tout particulièrement à cette race et travailla à sa conformation pour produire un chien très semblable au bull terrier que nous connaissons aujourd'hui.

En plus du bull terrier standard, il existe également un bull terrier miniature qui est en tout identique au précédent si ce n'est au niveau de la taille – il mesure environ 10 cm de moins au garrot et pèse moins de la moitié du poids du standard. Les deux types ont été séparés en deux races différentes en 1939.

Le physique du bull terrier tend à être soit adoré soit détesté : aucune autre race ne semble plus étrange que celle-ci. Le nez aquilin, la tête typiquement ovale et le corps robuste s'inscrivant dans un carré donnent à ce chien une allure puissante, indicatrice de sa force extraordinaire, l'une des caractéristiques clés du bull terrier. Les bull terriers modernes ne sont pas particulièrement agressifs : ils s'entendent bien avec les hommes et dans la plupart des cas avec les autres chiens – mais le respect légitime avec lequel on traite cette race vient du fait que si un bull terrier décide de passer à l'action contre quelqu'un ou quelque chose, il se montrera tellement déterminé qu'il pourra être extrêmement difficile de l'en dissuader. C'est plus pour leur force que pour leur agressivité innée qu'il est crucial de socialiser les bull terriers très tôt et de manière responsable ; leurs maîtres doivent être certains que le moment venu, leurs chiens feront ce qu'on leur demande.

Malgré leur apparence féroce, la plupart des bull terriers sont exceptionnellement joueurs et peuvent faire d'excellents compagnons pour des enfants un peu âgés. Mais à cause de leur enthousiasme et de leur constitution robuste, ils ne sont pas des partenaires de jeu adaptés pour les tout-petits et ils doivent être découragés dès leur plus jeune âge de jouer avec trop de fougue. Leur personnalité enjouée et leur empressement à se mêler de tout ce qui les entoure garantissent leur intégration dans la famille.

OREILLES Fines, triangulaires et portées droites et bien verticales lorsque le chien est en alerte. Les oreilles tombantes ou « molles » sont considérées comme un défaut dans le standard de la race.

TÊTE Forme ovale, ou ovoïde, très inhabituelle, avec un grand écartement au point le plus large du crâne, s'effilant légèrement vers un fort museau.

YEUX Petits, foncés, triangulaires et profondément enfoncés dans les orbites, placés en forte oblique, en position haute sur le visage. Le regard est déterminé et attentif, caractéristique de la race.

POITRINE Puissante et bien descendue, s'amenuisant juste un peu au niveau de la cage thoracique donnant au chien des lignes nettes et rectangulaires quand on le voit de profil, avec une courbe peu profonde vers le haut en direction du ventre.

PATTES Les pattes avant sont très droites et puissantes ; les pattes arrière sont elles aussi droites lorsqu'on les voit de derrière ce qui donne l'impression d'ensemble que le chien possède « une patte à chaque coin de son corps ».

PIEDS Nets, arrondis avec des coussinets robustes et des orteils bien cambrés. Petits par rapport à la taille du chien.

Lakeland terrier

CARACTÉRISTIQUES

TAILLE Mâle, hauteur au garrot, 35,5-38 cm ; femelle, hauteur au garrot, 33-35,5 cm.

SILHOUETTE Ressemble à un petit airedale : un beau terrier compact aux moustaches et à la barbe caractéristiques.

ROBE Pelage double avec un poil de couverture dur et « fil de fer » d'une couleur unie ou mélangée : froment, rouge, noir, foie, gris-bleu ou grisonné (un mélange de rouge ou de froment avec du noir, du gris ou du foie).

SANTÉ DE LA RACE Les lakelands sont des chiens vigoureux bien qu'il y ait quelques cas occasionnels de problèmes au niveau de l'articulation de la hanche.

LE PROPRIÉTAIRE DOIT... avoir suffisamment de patience pour faire face au tempérament bagarreur de ce terrier et disposer de temps pour faire faire régulièrement de l'exercice à ce petit chien pour canaliser son énergie débordante.

Ce terrier a été créé au milieu du XIXᵉ siècle dans le district de Lakeland en Angleterre, à la fois comme ratier mais aussi plus spécifiquement pour protéger les agneaux nouveau-nés des renards. Des bedlingtons, des borders et des dandie dinmont terriers ont été utilisés dans le mélange, probablement aussi quelques fox terriers. Le lakeland, souvent élevé comme animal de compagnie, aujourd'hui est un petit chien dynamique plein d'énergie et d'enthousiasme pour la vie. Les chiens de cette race ont tendance à aboyer beaucoup et font donc de bons gardiens de maison ; ils ont aussi besoin de faire beaucoup d'exercice et sont en général raisonnablement patients avec les enfants.

OREILLES Petites, bien dessinées, en forme de V, le pli étant aligné avec le haut du crâne.

TÊTE Arborant des moustaches caractéristiques et une barbe entière (pas encore totalement développée sur ce jeune chien).

YEUX Petits et ovales, cerclés de couleur sombre, d'une couleur allant du noir au noisette en passant par le marron foncé, assortie à celle de la robe du chien.

LIGNE DU DESSUS Droite et courte, donnant au chien une allure musclée et bien dessinée.

POITRINE Bien descendue et compacte mais assez étroite, contribuant à l'agilité du chien dans les espaces étroits.

MÉMO | **EXERCICE** 🐾 🐾 🐾 | **ENTRETIEN** 🐾 🐾 🐾 | **ÉDUCATION** 🐾 🐾 🐾 | **PRIX DE REVIENT** 🐾 🐾

Fox terrier à poil dur

Élevés comme ratiers, comme chasseurs de lapins et comme leur nom l'indique (*fox* signifie renard en anglais) pour chasser et débusquer les renards, les fox terriers, qu'ils soient à poil dur ou lisse, semblent descendre du croisement de vieux terriers anglais noir et feu, de bull terriers et de beagles. Ce chien possède le caractère typique du terrier : déterminé, plein de vitalité et un peu têtu quand il s'agit d'éducation, il est farouchement loyal envers sa famille et, s'il est éduqué et socialisé correctement, il peut faire un animal de compagnie plein de caractère.

OREILLES En V et de taille moyenne avec un pli net vers le bas bien au-dessus du haut de la tête.

LIGNE DU DESSUS Courte et très droite entre la base du cou et la naissance de la queue.

YEUX Très sombres, ronds, petits et extrêmement expressifs.

QUEUE Attachée haut sur le dos et portée droite. La queue des terriers de travail (mais pas celle des chiens d'exposition ou des animaux de compagnie) est encore souvent coupée bien que celle du fox terrier ne soit écourtée que de son dernier quart.

TÊTE Typiquement extrêmement longue, s'effilant à partir du dessus en une forme de coin allongée et ciselée sur la fin.

PATTES Longues par rapport au dos court de ce terrier et très droites avec une bonne ossature, donnant au chien une apparence vigoureuse et saine.

PIEDS Ronds et nets avec des coussinets épais capables à la fois de creuser et de marcher sur des terrains difficiles.

CARACTÉRISTIQUES

TAILLE Mâle, hauteur au garrot, 35,5-40,5 cm ; femelle, hauteur au garrot, 33-38 cm.

SILHOUETTE S'inscrivant dans un carré, carrure moyenne avec un visage de terrier plein de caractère et des pattes et un dos de longueur moyenne conférant une impression de force mais d'agilité.

ROBE Poil de couverture très dur, plat et lisse recouvrant un sous-poil extrêmement court et fin. La robe peut être blanc uni ou blanc avec des marques noires ou feu mais le blanc doit dominer.

SANTÉ DE LA RACE Généralement bonne, mais les fox terriers souffrent parfois d'affections cutanées et oculaires.

LE PROPRIÉTAIRE DOIT... avoir de la patience et un bon sens de l'humour pour éduquer ce terrier et faire face à son caractère de terrier extrêmement caractéristique.

MÉMO EXERCICE 🐾🐾🐾🐾 ENTRETIEN 🐾🐾🐾 ÉDUCATION 🐾🐾🐾 PRIX DE REVIENT 🐾🐾

Cairn terrier

CARACTÉRISTIQUES

TAILLE Mâle, hauteur au garrot, 30 cm ; femelle, hauteur au garrot, 25-28 cm.

SILHOUETTE Petit chien puissant à la carrure carrée avec une expression vive et alerte sous une frange naturelle de poils hirsutes.

ROBE Le pelage est double avec un poil de couverture dur et raide et un sous-poil court, souple et serré. Un grand nombre de couleurs sont possibles, y compris bringé, feu, froment, crème ou rouge et toutes les nuances de gris, de gris pâle à presque noir. Le blanc pur et le noir pur ne sont pas autorisés dans le standard de la race.

SANTÉ DE LA RACE Vigoureuse et intrépide, le cairn terrier a moins de problèmes de santé héréditaires que de nombreuses autres races mais ces chiens peuvent souffrir de diverses affections oculaires et présente une prédisposition à la dysplasie de la hanche et à une laxité du genou.

LE PROPRIÉTAIRE DOIT... faire preuve de détermination pour éduquer ce terrier typiquement dynamique et parfois entêté, et aimer les jeux en extérieur et le sport pour répondre au mieux à l'enthousiasme du cairn.

Le cairn terrier est l'une des nombreuses races de terriers écossais développée à l'origine pour chasser les nuisibles – mot polyvalent qui englobe toutes sortes d'animaux, des rongeurs aux renards. Le cairn terrier est né dans l'ouest de l'Écosse et la lignée qui a fourni la base des géniteurs d'aujourd'hui est originaire de l'île de Skye. Ce petit terrier vif à longs poils hirsutes a été reconnu comme race à part entière au milieu du XIXᵉ siècle et le standard fut rédigé en 1909.

Le nom de ce terrier vient du mot écossais *cairn* qui signifie monticule de pierres et il s'agit précisément du type de terrain sur lequel ce chien aurait à l'origine chassé, débusquant ses proies dans des murs en pierres, des tas de rochers ou des terriers souterrains avec beaucoup d'entrain. Ces qualités s'expriment aujourd'hui encore ostensiblement chez le cairn moderne qui est toujours utilisé comme terrier de travail mais est aussi devenu un animal de compagnie très populaire. Il a participé au développement de certaines autres races de terriers plus récentes, comme le westie, le norfolk terrier et le norwich terrier.

Le cairn possède un physique compact et joliment hirsute ; même pour les expositions, son toilettage reste « naturel » et son pelage dur et imperméable ne nécessite pas beaucoup de soins même si un brossage régulier permettra d'éviter que les poils ne s'emmêlent. Il est dynamique et tenace mais il est néanmoins plus facile à éduquer que certains autres chiens du groupe des terriers. Comme tous les terriers, son dresseur aura besoin de patience et de persévérance car il fait preuve d'indépendance et il lui faudra du temps pour comprendre les bénéfices du dressage. L'éducation à l'obéissance se déroulera de manière idéale avec une démarche positive.

Le cairn terrier est aujourd'hui devenu un animal de compagnie populaire et grâce à sa grande faculté d'adaptation il peut s'acclimater à la plupart des environnements bien qu'il ait besoin de suffisamment d'exercice et de stimulation intellectuelle pour ne pas s'ennuyer et tirer le meilleur parti de son caractère fougueux. Malgré sa petite taille, ce chien ne sera pas heureux s'il reste immobile toute la journée.

Le cairn terrier s'entend en général bien avec les autres chiens si on les présente avec précaution, mais il est possible qu'il poursuive les chats sauf s'il est élevé avec eux et ne peut pas être laissé en toute confiance avec des animaux plus petits que lui.

OREILLES Triangulaires, droites et bien écartées sur le crâne, tournées vers l'avant.

YEUX Bien écartés et profondément enfoncés dans les orbites avec un regard joyeux et alerte. Dans diverses teintes de marron, de noisette à brun très foncé, en fonction de la couleur de la robe.

TRUFFE Noire et grande par rapport à la taille du chien.

TÊTE Large sur le dessus, s'effilant légèrement vers un museau puissant. Densément couverte de poils sauf sur les oreilles, avec des sourcils, une moustache et une barbe fournis.

LIGNE DU DESSUS Très droite, menant d'un cou musclé et bien cambré à une queue épaisse et puissante de longueur moyenne.

PATTES Les pattes antérieures sont droites et fortes bien que les pieds avant puissent être légèrement tournés vers l'extérieur.

MÉMO   EXERCICE 🐾 🐾 🐾   ENTRETIEN 🐾 🐾 🐾   ÉDUCATION   🐾 🐾 🐾   PRIX DE REVIENT   🐾

Scottish terrier

CARACTÉRISTIQUES

TAILLE Mâle, hauteur au garrot, 25-28 cm ; femelle, hauteur au garrot, 23-25 cm.

SILHOUETTE Carrée, compacte et robuste, avec une démarche enlevée, balancée très caractéristique.

ROBE Poil de couverture rêche et dense et sous-poil dense et doux, généralement noir, bringé ou gris foncé et plus rarement froment.

SANTÉ DE LA RACE Généralement vigoureuse et saine, cette race a néanmoins une certaine prédisposition à l'hyperthyroïdie et à l'épilepsie et peut souffrir d'une affection spécifique à la race appelée crampe du scottish.

LE PROPRIÉTAIRE DOIT... avoir de la patience et un bon sens de l'humour pendant le dressage et la capacité d'apprécier l'aplomb important de ce chien.

Confiant, déterminé et réservé, élevé pour débusquer le gibier sous terre, le scottish terrier possède un certain nombre de caractéristiques typiques des terriers et d'autres qui lui sont propres. Il est dévoué à sa famille immédiate mais peut se montrer froid avec les étrangers et parfois inamical avec les autres chiens. Il est aujourd'hui presque toujours élevé comme animal de compagnie mais conserve sa prodigieuse capacité de déterreur.

OREILLES Triangulaires, tournées vers l'avant et droites, attachées très haut sur le crâne du chien.

TÊTE Longue et rectangulaire avec une moustache et une barbe fournies et caractéristiques.

COU Épais et puissant, en courbe douce vers un dos droit et court.

POITRINE Très large et bien descendue, elle s'étend vers le bas entre les courtes pattes avant.

PIEDS Grands et ronds avec des coussinets larges et épais et des ongles robustes.

MÉMO   **EXERCICE** 🐾🐾🐾   **ENTRETIEN** 🐾🐾🐾🐾   **ÉDUCATION** 🐾🐾🐾🐾   **PRIX DE REVIENT** 🐾🐾🐾

Bedlington terrier

L'apparence inhabituelle du bedlington est souvent décrite comme semblable à celle d'un agneau, mais ce terrier fougueux ne possède pas le caractère pacifique en adéquation avec ce physique. Créée dans le nord de l'Angleterre pour chasser les rats, probablement à partir d'un mélange de sang de terriers et de whippets, la race fut un temps appréciée par les braconniers et les bohémiens ce qui lui valut son surnom de « chien de bohémien ».

QUEUE Attachée bas et s'effilant d'une base large vers une extrémité étroite. Comme la queue du greyhound, elle est portée bas en une courbe gracieuse.

TÊTE Face longue et étroite avec un crâne arrondi. Les yeux peuvent être marron foncé ou noisette, en forme d'amande, profondément enfoncés dans les orbites et expressifs.

CORPS Si l'on rasait tous les poils de ce chien, on verrait sa forte ressemblance avec le whippet au niveau de la carrure : il est musclé, mince et gracieux.

PATTES Les pattes arrière sont visiblement plus longues que les pattes avant et très bien musclées avec des pieds de lièvre et des coussinets robustes et ronds.

CARACTÉRISTIQUES

TAILLE Mâle, hauteur au garrot, 40-44 cm ; femelle, hauteur au garrot, 38-42 cm.

SILHOUETTE Dos présentant une arcure naturelle, toupet abondant sur la tête et franges en pompon sur les oreilles qui contribuent à l'aspect inhabituel de ce chien, renforcé par sa toilette d'exposition si caractéristique.

ROBE Pelage simple de poils feutrés et épais mélangés qui se redressent bien par rapport à la peau. La couleur la plus usuelle est le gris-bleu mais il existe aussi des variantes foie, feu et fauve sable.

SANTÉ DE LA RACE Certaines prédispositions à des affections oculaires héréditaires et à des pathologies rénales.

LE PROPRIÉTAIRE DOIT... faire preuve de patience pour éduquer son chien. La contrainte ne fonctionne pas avec ce terrier qui se montre facilement entêté.

MÉMO   **EXERCICE** 🐾 🐾 🐾   **ENTRETIEN** 🐾 🐾 🐾 🐾   **ÉDUCATION** 🐾 🐾 🐾 🐾   **PRIX DE REVIENT** 🐾 🐾 🐾 🐾

Glen of imaal terrier

CARACTÉRISTIQUES

TAILLE Mâle ou femelle, hauteur au garrot, 32-35,5 cm.

SILHOUETTE Courte sur pattes et compact, plus longue que haute avec une allure équilibrée, vive et alerte.

ROBE Pelage double de longueur moyenne avec un poil de couverture rêche et un sous-poil doux et soyeux. La robe peut être gris-bleu, allant du gris clair à un acier profond, bringée ou de différentes nuances de froment, du doré pâle au roux.

SANTÉ DE LA RACE Généralement très robuste et sain, ce chien peut être sujet à l'atrophie progressive de la rétine, une maladie des yeux, et à certains problèmes cardiaques.

LE PROPRIÉTAIRE DOIT... faire preuve de patience pour trouver un chiot puis avoir suffisamment d'énergie pour faire faire de l'exercice à ce chien plein de vie et assurer sa socialisation.

Ce petit terrier inhabituel était à l'origine élevé comme chien de travail dans les fermes et effectuait aussi quelques tâches en tant que chasseur de renards et de blaireaux. Il porte le nom de sa région d'origine située dans le comté de Wicklow en Irlande. Enregistré pour la première fois en tant que race dans les années 1930 en Irlande, il est aujourd'hui encore relativement rare en dehors de son pays natal où il est élevé comme chien de ferme et animal de compagnie. Vigoureux et robuste, arborant une apparence volontairement négligée, il est facile à entretenir et a la réputation d'être gentil avec les enfants, très joueur et un peu plus calme que de nombreuses autres races de terriers.

QUEUE De longueur moyenne et portée haut, la queue de ce chien était toujours écourtée à environ la moitié de sa longueur chez les chiens de travail, cette pratique a cependant tendance à disparaître aujourd'hui.

DOS Long et droit, très puissant et musclé tout en dégageant une impression équilibrée et active.

TÊTE Puissante et équilibrée avec un crâne large et un museau robuste et carré. La face est couverte de poils, avec des « sourcils » prononcés et une petite barbe.

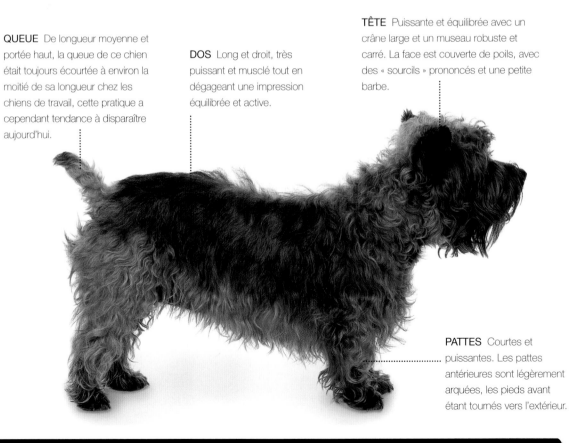

PATTES Courtes et puissantes. Les pattes antérieures sont légèrement arquées, les pieds avant étant tournés vers l'extérieur.

Staffordshire bull terrier

Les ancêtres du staffordshire bull terrier furent créés au XVIIIe siècle pour les combats de chiens, sans doute en croisant un bouledogue avec un ou plusieurs types de terriers. Le résultat fut un chien de taille moyenne, tenace, intelligent et immensément fort. Aujourd'hui le « staff » jouit d'un énorme succès comme animal de compagnie. Réputé gentil avec les enfants et affectueux envers ses maîtres, ce chien exprime parfois encore son héritage lors de querelles avec d'autres chiens et comme il s'agit d'une race extrêmement puissante, il doit être dressé avec application.

CARACTÉRISTIQUES

TAILLE Mâle, hauteur au garrot, 38-41 cm ; femelle, hauteur au garrot, 35,5-38 cm.

SILHOUETTE Élancée et extrêmement musclée avec une face carrée, nettement dessinée qui trahit ostensiblement la présence du bouledogue dans les ancêtres de ce chien.

ROBE Pelage très court, luisant et serré dans une vaste gamme de couleurs : rouge, fauve, noir, blanc, gris-bleu et bringée ou n'importe laquelle de ces couleurs associée à du blanc.

SANTÉ DE LA RACE Peu de maladies ou prédispositions héréditaires mais le staffordshire peut souffrir d'épilepsie et de certaines affections oculaires dont de cataracte.

LE PROPRIÉTAIRE DOIT... faire preuve de détermination et de patience pour éduquer ce chien gentil mais au caractère bien tremper et avoir du temps pour épuiser sa prodigieuse énergie en lui faisant faire des promenades, des jeux et de l'exercice.

TÊTE Carrée, large et profonde avec des muscles fortement dessinés au niveau des joues et un front très large et ciselé. Museau court avec une grande truffe noire et des yeux ronds et foncés.

OREILLES En demi-rose (semi-dressées), étroites et fines.

CORPS Extrêmement musclé mais bien dessiné, large au niveau des côtes et s'effilant au-delà de ce point vers un rein comparativement étroit.

QUEUE Attachée et portée assez bas, de longueur moyenne, s'effilant doucement en pointe.

MÉMO   EXERCICE 🐾 🐾 🐾   ENTRETIEN 🐾   ÉDUCATION 🐾 🐾 🐾   PRIX DE REVIENT 🐾 🐾

Border terrier

CARACTÉRISTIQUES

TAILLE Mâle ou femelle, hauteur au garrot, 25 cm.

SILHOUETTE Râblée et séduisante, bien qu'inélégante. Ce chien possède une carrure compacte et sobre, des pattes longues lui donnant la capacité de courir vite et de creuser le sol.

ROBE Pelage double avec un poil de couverture court et dur avec un sous-poil plus doux et dense. La robe peut être grisonnée, froment, rouge, feu ou bleu (gris). Le museau et les oreilles doivent être de couleur foncée et le blanc ne doit apparaître que sous forme de panache sur le poitrail.

SANTÉ DE LA RACE En général bonne ; prédisposition à la luxation de la rotule, au glaucome et à d'autres affections oculaires.

LE PROPRIÉTAIRE DOIT... avoir un peu de temps pour éduquer et faire faire de l'exercice à ce terrier inhabituellement doux. Ce chien a besoin de compagnie et de suffisamment de promenades et de jeux pour rester enjoué et en bonne santé. Il s'intègre bien dans la vie de la famille mais sera également heureux avec un maître célibataire.

Bien que le border terrier soit peut-être l'un des terriers les moins distingués en termes d'apparence, sa carrure aux lignes bien dessinées et ses traits sans excès dégage une impression agréable de fonctionnalité. Créé à l'origine pour courir aux côtés des chasseurs et débusquer les renards de leurs terriers, il devait être suffisamment petit pour pénétrer dans les terriers mais posséder des pattes assez longues et assez d'endurance pour accompagner les foxhounds beaucoup plus grands que lui. Rarement employé pour la chasse de nos jours, il est devenu un chien de compagnie très populaire.

La résistance qui avait été initialement favorisée chez ce terrier pour lui permettre d'effectuer sa tâche est masquée par un caractère doux trompeur. En tant que terrier de travail, il était réputé tenace, capable de poursuivre un renard et de le faire détaler pour les autres chiens, parfois après des kilomètres de course. Mentionné pour la première fois comme race à part entière au milieu du xixe siècle, il était apparu dans les Borders (d'où son nom), région frontalière entre l'Angleterre et l'Écosse, et fut reconnu avec son propre standard en 1920. Depuis lors, il a reçu plusieurs distinctions dans les expositions canines et, tandis que sa carrière de chasseur a décliné, son rôle de chien de compagnie s'est renforcé.

Par rapport aux standards du terrier, ce chien possède un caractère décontracté ; il est enjoué, facile à dresser et à vivre et n'est pas hyperactif comme d'autres chiens de ce groupe. Il veut faire plaisir à ses maîtres, ce qui est inhabituel pour un

terrier, qualité qui le rend relativement aisé et rapide à dresser. Il n'est pas non plus très difficile à entretenir ; sa robe à poil court et dur semble repousser la saleté et un brossage hebdomadaire la maintient en bon état.

Le border terrier a besoin de faire régulièrement de l'exercice ce qui n'est pas étonnant compte tenu de ses origines. C'est un chien plein d'énergie et s'il s'ennuie, il peut s'inventer ses propres distractions. Il aime creuser et si on le néglige, il peut se mettre à aboyer pour le plaisir, il est donc conseillé de diriger son attention vers des jeux approuvés. Ce chien peut facilement être intégré dans toutes les activités familiales et fait preuve d'un intérêt enthousiaste pour tout ce qui se passe autour de lui. Les border terriers les mieux socialisés s'entendront bien avec les autres chiens – et les chats, si les deux sont présentés correctement – bien qu'il ne faille pas leur faire confiance avec des animaux de plus petite taille qu'eux, qui, à leurs yeux, ressemblent à des proies.

OREILLES De taille moyenne, en forme de V, retombant vers l'avant. Attachées sur les côtés de la tête au même niveau que le dessus du crâne.

YEUX Ronds, cerclés de couleur sombre. En général marron clair ou noisette arborant le regard vif et alerte caractéristique du terrier.

TÊTE Le standard de la race compare la tête du border terrier à celle d'une loutre : large au niveau du front, avec des joues pleines et s'effilant vers le museau.

POITRINE Bien descendue mais avec une cage thoracique étroite et un léger « redressement » vers le rein à l'extrémité des côtes donnant au chien une ligne du dessous droite.

QUEUE Épaisse à la naissance, de longueur moyenne et s'effilant légèrement vers l'extrémité. Portée dressée, mais pas recourbée sur le dos.

PATTES Musclées mais pas trop lourdes, longues par rapport à la taille globale du chien. Les pattes avant sont droites, les pieds sont petits, compacts et arrondis avec des orteils bien cambrés.

Kerry blue terrier

CARACTÉRISTIQUES

TAILLE Mâle, hauteur au garrot, 46-49,5 cm ; femelle, hauteur au garrot, 44,5-48 cm.

SILHOUETTE Terrier robuste et bien charpenté, le corps s'inscrit dans un carré, l'apparence est vive et dynamique. Un toilettage professionnel régulier est essentiel pour que le kerry blue conserve sa silhouette distinctive.

ROBE Pelage très caractéristique, épais, soyeux avec une texture légèrement « frisée » rappelant l'astrakan (laineuse) de couleur gris-bleu uni pouvant foncer jusqu'à une teinte acier parfois avec une petite tache blanche sur le poitrail.

SANTÉ DE LA RACE Le kerry blue peut souffrir de dysplasie de la hanche et présenter une certaine prédisposition à des troubles du système immunitaire.

LE PROPRIÉTAIRE DOIT... avoir beaucoup de détermination pour éduquer et discipliner ce chien indépendant et très actif.

Ce terrier d'origine irlandaise était utilisé comme chien de chasse polyvalent dans le comté de Kerry où il chassait des loutres, des renards, des blaireaux et des lapins. Bon nageur et puissant coureur, il peut aussi se montrer agressif au combat si l'occasion se présente. Le kerry blue est dévoué à son maître mais, comme tous les terriers, il possède une bonne dose de détermination et a besoin d'une main ferme et calme.

TÊTE Un crâne aplati mène à une face rectangulaire s'effilant légèrement vers le museau. Le kerry blue porte une barbe et une moustache très fournies.

LIGNE DU DESSUS Le cou long et bien développé se cambre vers un dos court qui continue en ligne droite jusqu'à la queue.

QUEUE Portée dressée, en ligne droite plutôt que recourbée. De longueur moyenne, légèrement effilée et attachée haut sur le dos.

PATTES Le pelage dense dissimule les pattes avant robustes et droites et l'arrière-train extrêmement musclé. En mouvement, la démarche est décontractée et très dégagée.

POITRINE La cage thoracique est très descendue mais de largeur modérée et le corps remonte fortement derrière elle.

MÉMO | EXERCICE 🐾🐾🐾🐾 | ENTRETIEN 🐾🐾🐾🐾 | ÉDUCATION 🐾🐾🐾 | PRIX DE REVIENT 🐾🐾🐾🐾

Dandie dinmont terrier

Ce petit terrier, qui doit son nom à un personnage du roman de Walter Scott Guy Mannering, a été créé dans le nord de l'Angleterre et était utilisé pour chasser les renards et les blaireaux. Malgré son apparence un peu curieuse quand il est toiletté pour une exposition – un long corps court sur pattes se terminant par un toupet perché sur la tête –, il s'agit d'un petit chien vigoureux qui aime les exercices et les jeux dynamiques et possède un caractère plus doux que certains autres terriers. Élevé à l'origine en meutes, il s'entend en général bien avec les autres chiens et est affable avec les enfants.

CARACTÉRISTIQUES

TAILLE Mâle, hauteur au garrot, 23-28 cm ; femelle, hauteur au garrot, 20-25 cm.

SILHOUETTE Long et court sur pattes, le dandie dinmont présente au premier abord une légère ressemblance avec le teckel mais possède une robe plus ébouriffée et une face beaucoup plus carrée.

ROBE Mélange inhabituel de poils durs et doux, toilettage par épilation plutôt que par tonte. Les poils de la tête sont très soyeux. Les couleurs portent le nom de « poivre » (teintes allant du noir au gris) et « moutarde » (teintes allant du brun rougeâtre au fauve pâle).

SANTÉ DE LA RACE Tendance à la dysplasie de la hanche et à des problèmes de dos, notamment hernies discales.

LE PROPRIÉTAIRE DOIT... avoir du temps pour éduquer et faire faire de l'exercice à son chien. Il faut à ce chien un foyer accueillant dans lequel il pourra s'intégrer allègrement à la vie familiale et participer à tout ce qui se passe autour de lui.

QUEUE La queue est longue et plutôt épaisse, portée « en cimeterre », c'est-à-dire légèrement recourbée.

LIGNE DU DESSUS Le dos présente une cambrure assez prononcée après le cou, puis remonte en arcure droite au niveau des reins.

TÊTE Le toupet dissimule une grande tête solidement construite qui s'effile légèrement pour se terminer en un museau fort, carré et doté d'une truffe de couleur foncée.

PATTES Les pattes sont courtes mais puissantes, les pattes arrière étant légèrement plus longues que les pattes avant.

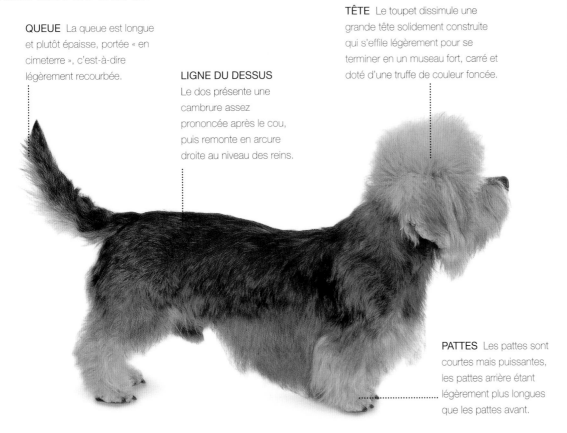

MÉMO ⬤   EXERCICE 🐾🐾🐾   ENTRETIEN 🐾🐾🐾🐾   ÉDUCATION 🐾🐾🐾   PRIX DE REVIENT 🐾🐾🐾

Manchester terrier

CARACTÉRISTIQUES

TAILLE Mâle, hauteur au garrot, 41 cm ; femelle, hauteur au garrot, 38 cm.

SILHOUETTE Bien dessinée et élégante avec une carrure compacte mais musclée et une expression enthousiaste typique du terrier.

ROBE Poil serré, très court, dense et extrêmement brillant. La robe est noire avec des marques feu en général sur les pieds, le poitrail et la région faciale.

SANTÉ DE LA RACE Chien très vigoureux à l'espérance de vie en général longue, mais la maladie de Von Willebrand, une maladie hémorragique grave, est assez fréquente chez ce chien et il faut vérifier que les géniteurs en sont exempts avant d'acquérir un chiot.

LE PROPRIÉTAIRE DOIT... avoir du temps pour éduquer et socialiser ce terrier typique. Bien qu'ils fassent preuve d'indépendance, les manchesters ne sont en général pas têtus.

Créé à partir d'une variété de terriers primitifs, avec l'infusion possible de sang de whippet, le manchester était à l'origine utilisé comme ratier. Il est aujourd'hui très populaire comme animal de compagnie. Il possède une nature fougueuse et énergique mais n'a pas le caractère combatif de nombreux autres terriers et s'entend en général bien avec les autres chiens. Au départ, une variété « toy » était incluse dans le même standard, mais elle est maintenant exposée comme une race distincte bien qu'elle porte toujours le nom de toy manchester aux États-Unis.

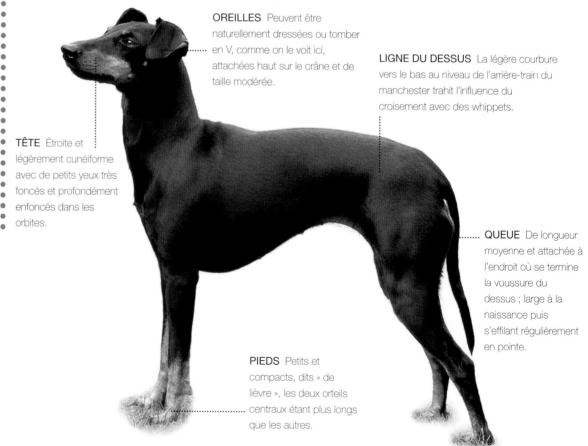

OREILLES Peuvent être naturellement dressées ou tomber en V, comme on le voit ici, attachées haut sur le crâne et de taille modérée.

LIGNE DU DESSUS La légère courbure vers le bas au niveau de l'arrière-train du manchester trahit l'influence du croisement avec des whippets.

TÊTE Étroite et légèrement cunéiforme avec de petits yeux très foncés et profondément enfoncés dans les orbites.

QUEUE De longueur moyenne et attachée à l'endroit où se termine la voussure du dessus ; large à la naissance puis s'effilant régulièrement en pointe.

PIEDS Petits et compacts, dits « de lièvre », les deux orteils centraux étant plus longs que les autres.

| MÉMO | EXERCICE 🐾🐾 | ENTRETIEN 🐾 | ÉDUCATION 🐾🐾🐾 | PRIX DE REVIENT 🐾 |

Norfolk terrier

Vif, bagarreur et d'une curiosité insatiable, le norfolk terrier est l'une des races de chiens créées en East Anglia, dans l'est de l'Angleterre, pour la chasse aux lapins et aux rats. Il était à l'origine répertorié comme une variété de norwich terrier (le norwich, également originaire de l'est de l'Angleterre, possède des oreilles droites), mais fut reconnu comme race à part entière en 1964. Ce petit chien est, comme tous les terriers, très sûr de lui ; si on l'élève comme chien de compagnie, son enthousiasme particulier à creuser la terre aura peut-être besoin d'être réfréné.

CARACTÉRISTIQUES

TAILLE Mâle, hauteur au garrot, 25-30 cm ; femelle, hauteur au garrot, 23-28 cm.

SILHOUETTE Petit chien trapu et vif, bien équilibré sur ses quatre courtes pattes.

ROBE Pelage double épais de couleur rouge, froment, feu et grisonnée, parfois avec des marques blanches. La robe est traditionnellement épilée et non tondue, opération qui doit être pratiquée par un professionnel.

SANTÉ DE LA RACE Généralement bonne mais peut souffrir d'allergies cutanées et parfois de problèmes de dos.

LE PROPRIÉTAIRE DOIT... disposer de temps pour faire faire de l'exercice en extérieur à son chien et avoir une attitude ouverte. Ce petit chien aime être fortement impliqué dans tout ce qui se passe autour de lui et a une approche enjouée, dynamique et constante de la vie.

QUEUE Portée dressée et naturellement de longueur moyenne ; elle était à l'origine écourtée sur les chiens de travail.

CORPS Puissant et doté d'une poitrine bien descendue donnant au chien une apparence compacte mais pas lourde.

OREILLES Tombantes, en forme de V, fines et couvertes de poils courts et doux, plaquées contre les joues.

YEUX Petits, foncés et ovales avec un regard alerte, vif et séduisant.

MÉMO   EXERCICE 🐾 🐾   ENTRETIEN 🐾 🐾 🐾   ÉDUCATION 🐾 🐾 🐾   PRIX DE REVIENT 🐾 🐾

Chiens d'agrément

La plupart des chiens d'agrément, appelés *toy* en anglais, sont, par définition, tout petits, mais la plupart n'ont pas conscience de leur taille et leur enveloppe miniature renferme une très forte personnalité. Il existe cependant au sein de ce groupe une diversité assez grande de traits de caractère, de l'animal extrêmement fougueux au chien relativement placide. Leur physique peut aussi être différent : de poilu et pelucheux, comme l'épagneul papillon ou le shih tzu, au petit chien qui n'est rien d'autre qu'une version miniature d'un original de grande taille comme le lévrier italien.

Yorkshire

CARACTÉRISTIQUE

TAILLE Mâle ou femelle, hauteur au garrot, 18-23 cm.

SILHOUETTE Le pelage fourni et droit recouvre un chien minuscule mais bien proportionné et compact.

ROBE Bien qu'on la voie souvent avec les poils courts, la robe du york est sa caractéristique la plus distinctive. Longue et soyeuse sur tout le corps et la tête, elle n'existe qu'en une seule couleur : bleu acier foncé sur tout le corps, du dos de la tête à la base de la queue, avec une tête, un poitrail et des pieds feu.

SANTÉ DE LA RACE Les yorkshires présentent une certaine prédisposition aux maladies de la thyroïde et du foie et à des problèmes au niveau de l'articulation de la hanche. Comme de nombreux chiens d'agrément, ce chien peut également souffrir de caries et nécessite des examens dentaires réguliers.

LE PROPRIÉTAIRE DOIT... avoir conscience que le yorkshire n'est pas uniquement un chien de salon et qu'il a aussi besoin de jouer et de bénéficier d'une attention exclusive. Il doit aussi avoir la volonté soit de passer longtemps à toiletter son chien, soit d'accepter que son york ait une coupe plus courte.

L'opinion est divisée quant à savoir si ce chien d'agrément populaire est avant tout un terrier ou un chien de salon. Race relativement récente, il a été développé au cours du siècle dernier en croisant de petits terriers qui travaillaient comme ratiers dans les mines du Yorkshire avec des terriers de Skye. Il est possible que d'autres races, notamment des dandie dinmonts ou des bichons maltais, aient également participé à sa création. Le résultat est un chien minuscule mais au tempérament plein d'ardeur.

Appelé communément york, ce petit chien n'a aucunement conscience de sa taille. La plupart des yorkshires ont le même comportement que leurs camarades terriers de beaucoup plus grande taille et il peut être désopilant de les voir appréhender le monde qui les entoure avec énergie, vigueur et enthousiasme. Mais il est aussi parfois inquiétant de voir un minuscule yorkshire s'attaquer à un chien dix fois plus gros que lui.

Depuis son introduction en tant que race – le yorkshire a été reconnu par le Kennel Club of Great Britain en 1886 et fut introduit en Amérique au début du siècle dernier – le york a acquis une grande popularité comme animal de compagnie et figure régulièrement parmi les dix races préférées dans l'étude annuelle du Kennel Club, en général juste derrière le labrador.

L'attitude énergique du york face à tous les événements de la vie en fait un bon chien de famille qui sera également heureux chez un maître célibataire. Il convient en revanche de le tenir à distance des très jeunes enfants qui pourraient mal le traiter ; il est trop petit pour être manipulé avec brutalité et l'enfant pourrait se faire mordre. Ce terrier est parfaitement capable de faire de l'exercice avec vigueur et, pour des raisons évidentes, n'a pas besoin de beaucoup de place pour jouer si bien qu'il se sentira à son aise aussi bien en ville qu'à la campagne.

Le toilettage est le principal souci que pose le yorkshire car son pelage long et soyeux doit être peigné régulièrement et consciencieusement pour éviter la formation de nœuds. Les poils de la tête doivent également être relevés et attachés pour que le chien puisse voir. Si le toilettage s'avère trop contraignant, une solution consiste à couper tous les poils du corps à une longueur plus gérable.

TOUPET La robe soyeuse forme une frange épaisse au-dessus des yeux de sorte que la plupart des propriétaires de yorkshires préfèrent attacher ces poils avec un ruban ou un nœud pour permettre au chien de voir correctement.

OREILLES Petites, dressées, en forme de V, elles sont attachées assez proches l'une de l'autre sur le dessus de la tête. Les poils sur les oreilles sont naturellement longs mais peuvent être coupés pour clarifier les contours des oreilles en vue d'une exposition.

LIGNE DU DESSUS Le cou bien arqué descend vers un dos droit et plutôt court.

QUEUE Habituellement écourtée par le passé, cette pratique est désormais interdite au Royaume-Uni et dans certains pays d'Europe. Portée en une courbe courte au-dessus du dos.

TÊTE Le crâne est plat entre les oreilles et descend jusqu'à un petit museau court. La truffe est noire.

PATTES Fines mais avec une bonne ossature et pas faibles ; vues de face, les pattes antérieures et postérieures sont droites. Les pieds sont ronds.

MÉMO   **EXERCICE** 🐾   **ENTRETIEN** 🐾 🐾 🐾   **ÉDUCATION**   🐾 🐾 🐾   **PRIX DE REVIENT**   🐾 🐾

Cavalier king-charles

CARACTÉRISTIQUES

TAILLE Mâle ou femelle, hauteur au garrot, 30,5-33 cm.

SILHOUETTE Jolie et attirante, face assez courte avec de longues et jolies oreilles frangées et un regard doux, assez attendrissant.

ROBE Pelage soyeux, de longueur moyenne qui peut être ondulé mais ne doit pas friser. La poitrine, les pattes, la queue et les oreilles sont fortement frangées. Il existe quatre combinaisons de couleurs, chacune portant son propre nom : noir et feu (robe noire avec des marques feu), rubis (rouge châtaigne profond), Blenheim (robe blanche avec des marques châtaigne) et tricolore (noir sur un fond blanc avec des marques feu au-dessus des yeux, sur les joues, le poitrail, les pattes et sous la queue).

SANTÉ DE LA RACE Sujette à un certain nombre d'affections congénitales dont une laxité des genoux et des souffles au cœur. On enregistre un taux élevé d'endocardiose mitrale, une pathologie cardiaque héréditaire grave. Si vous achetez un chiot, vérifiez avec l'éleveur que les géniteurs sont exempts de cette maladie.

LE PROPRIÉTAIRE DOIT... donner à ce chien toute l'attention et l'affection qu'il désire, lui faire faire de l'exercice et le toiletter régulièrement.

À ne pas confondre avec le king-charles, légèrement plus petit, le cavalier king-charles descend d'une longue tradition d'épagneuls nains qui devinrent des animaux de compagnie populaires à partir du XVIᵉ siècle – son nom vient de Charles ii, à la cour duquel ces chiens étaient bien connus. Les véritables origines du cavalier king-charles seraient beaucoup plus lointaines puisqu'il serait originaire du Japon, mais il était déjà connu en Europe au XVIᵉ siècle.

Alors que des épagneuls plus grands étaient utilisés comme chiens de rapport, leurs cousins de plus petite taille et à face plus plate, comme le cavalier king-charles, étaient uniquement élevés comme chiens d'agrément. Le cavalier king-charles actuel est cependant aujourd'hui l'une des plus grandes races de chien d'agrément.

Ce chien a longtemps été plébiscité comme chien de famille et rien n'est plus facile à comprendre. Gentil, fougueux et gracieux, le cavalier king-charles s'adapte à la plupart des environnements. Il sera tout aussi heureux dans une famille nombreuse que chez un célibataire et se plaira autant à la ville qu'à la campagne, en maison qu'en appartement. Les cavaliers king-charles possèdent une nature enjouée, ouverte et apprécient la compagnie des hommes. Ils adorent les enfants et font preuve de tolérance à leur égard, ils sont agréables avec les autres chiens et s'entendent bien avec les chats et les autres animaux domestiques. Leur besoin en exercice est modéré (même s'ils se joindront à vous avec enthousiasme pour une longue promenade si vous le souhaitez) et bien qu'ils aient besoin d'un toilettage régulier, leur robe n'est pas particulièrement difficile à garder en bonne condition. Ces chiens nécessitent beaucoup d'attention et de compagnie – humaine ou canine – pour s'épanouir et ne doivent pas être laissés seuls pendant de longues périodes. Dociles et faciles à éduquer, les chiens de cette race constituent par ailleurs un choix approprié pour une personne relativement inexpérimentée.

La grande popularité du cavalier king-charles a entraîné un nombre de maladies héréditaires plus élevé que la moyenne. Les éleveurs consciencieux sont vigilants quant à la santé de leurs géniteurs et les examinent régulièrement pour s'assurer qu'aucune maladie ne soit transmise à leurs chiots. En conséquence, si vous envisagez d'acheter un cavalier king-charles, vérifiez avec l'éleveur le carnet de santé de ses chiens.

OREILLES Ce chiot ne possède pas encore les oreilles fortement frangées et très tombantes qui sont caractéristiques de cette race, mais ses oreilles tombent déjà au niveau de son menton.

TÊTE Le crâne du cavalier king-charles est moins bombé que celui du king-charles. Les grands yeux ronds et foncés donnent une expression douce à ce chien.

COU Suffisamment long pour permettre au chien d'avoir un port de tête fier, et légèrement arqué.

CORPS Cage thoracique équilibrée par rapport à la carrure et à la taille du chien. La ligne du dessus est droite à partir de la base du cou jusqu'à la taille.

QUEUE Chez les adultes, la queue développe un important panache. Elle est portée au même niveau que le dos ou légèrement au-dessus.

PIEDS Les pieds sont ronds et compacts avec des coussinets épais et profonds. Le long pelage qui pousse entre les coussinets sur le dessous du pied est parfois coupé pour éclaircir les contours.

MÉMO   EXERCICE 🐾 🐾   ENTRETIEN 🐾 🐾   ÉDUCATION 🐾   PRIX DE REVIENT 🐾

Chihuahua

CARACTÉRISTIQUES

TAILLE Mâle ou femelle, hauteur au garrot, 15-23 cm.

SILHOUETTE Ossature fine mais pas faible avec des contours bien dessinés et compacts, une tête large aux grandes oreilles dressées et au regard vif et alerte.

ROBE Le chihuahua existe à poil court et à poil long ; les deux versions possèdent un pelage double, parfois non. Les chiens à poil court ont une robe fine, lisse, lustrée et luisante tandis que ceux à poil long ont une robe épaisse sur tout le corps à l'exception de la région faciale et du bas des pattes. La robe peut être de n'importe quelle couleur, unie, bicolore ou tricolore.

SANTÉ DE LA RACE Compte tenu de sa taille, le chihuahua est automatiquement plus fragile que certaines autres races et ne supporte pas la brusquerie. Ce chien présente une prédisposition à l'atrophie progressive de la rétine (une maladie oculaire), parfois à une laxité des genoux et on dénombre des cas occasionnels d'hydrocéphalie car l'une des particularités du chihuahua est que la fontanelle, espace membraneux entre les os du crâne ouvert à la naissance, ne se ferme jamais totalement.

LE PROPRIÉTAIRE DOIT... comprendre que bien qu'il soit minuscule, ce chien a néanmoins besoin d'être éduqué. Il lui faudra également un bon sens de l'humour pour supporter l'indéniable aplomb du chihuahua.

Le chihuahua est le chien le plus minuscule au monde bien qu'il semble parfois être le seul être sur terre à ne pas avoir conscience de sa taille. Enjouée, énergique et tenace comme un terrier, cette créature miniature possède l'une des plus fortes personnalités du monde canin. Le chihuahua est peut-être petit mais il sait faire remarquer sa présence tous à ceux qui l'entourent. Il est aujourd'hui l'un des chiens d'agrément les plus populaires qui soient mais ses origines font encore l'objet de nombreuses controverses.

Les théories quant à ses ancêtres sont diverses et variées. Certains prétendent que ces chiens appartenaient autrefois à la race sacrée des Aztèques (ou dans une variante de l'histoire, des Pharaons), d'autres légendes mentionnent de lointains ancêtres européens sur l'île de Malte. Il existe peu de faits pour attester l'une ou l'autre version mais le chihuahua porte en tout cas le nom de l'état du Mexique à partir duquel les premiers spécimens furent exportés vers les États-Unis au début du XXᵉ siècle. Alors que le chihuahua connut un succès immédiat en Amérique, il ne séduisit les marchés européen et britannique qu'à la fin des années 1960 ; il est aujourd'hui cependant autant apprécié des deux côtés de l'Atlantique.

Quel que soit son pays d'origine, le chihuahua est à présent fermement établi à la fois comme animal de compagnie et comme chien d'exposition. Malgré son apparence fragile, il n'a pas besoin de soins spécifiques bien qu'il soit déconseillé de le mettre en présence d'enfants trop jeunes pour mesurer toute la délicatesse dont il faut faire preuve avec un animal aussi petit. Ses exigences en matière de toilettage sont minimes et il coûte peu à nourrir.

Le chihuahua sera pour son maître une source intarissable de divertissement lorsqu'il l'observera organiser à son avantage tout ce qui l'entoure. Affectueux avec son entourage immédiat, il peut également s'avérer jaloux de l'attention de son maître et fera tout ce qu'il juge nécessaire pour s'assurer de recevoir le respect et l'admiration qu'il estime mériter. Il est conseillé de prendre le temps d'éduquer correctement le chihuahua car, malgré sa taille, sa tendance à l'obstination pourrait le rendre désagréable à moins qu'il ne comprenne ne serait-ce que les bases d'un comportement convenable. Il est également essentiel de le socialiser convenablement avec les autres chiens – vous courrez sinon le risque de voir s'exprimer chez lui une tendance querelleuse aux moments les moins appropriés.

OREILLES Triangulaires et très grandes par rapport à la taille du chien. Portées droites et tournées vers l'avant lorsque le chien est en alerte.

TRUFFE Sa couleur correspond à celle de la robe dans des teintes plus pâles, comme ici, elle peut aussi être noire avec les robes plus foncées.

TÊTE Le crâne haut et bombé est particulièrement caractéristique de cette race. Comme la fontanelle ne se referme jamais totalement, le chihuahua est particulièrement sensible aux blessures de la tête.

QUEUE Longue, elle ne s'effile qu'un tout petit peu et est portée fièrement recourbée. La queue de la variété à poil long présente un panache fourni.

ARRIÈRE-TRAIN Bien développé et musclé, contribuant à l'apparence globale compacte mais raffinée de ce chien.

PIEDS Petits, délicats avec des orteils bien écartés et cambrés.

MÉMO EXERCICE 🐾 ENTRETIEN 🐾 ÉDUCATION 🐾 🐾 PRIX DE REVIENT 🐾

Épagneul papillon

CARACTÉRISTIQUES

TAILLE Mâle ou femelle, hauteur au garrot, 20-23 cm.

SILHOUETTE Délicate et élégante avec des oreilles extrêmement caractéristiques et des pattes bien dessinées à l'ossature fine.

ROBE Pelage simple et soyeux, plus long sur le corps et avec une « bavette » fournie sur le poitrail ; court et fin sur la tête et le bas des pattes. Toujours blanc avec des taches d'une seconde couleur.

SANTÉ DE LA RACE Les épagneuls papillons sont de petits chiens robustes mais ils peuvent souffrir de luxations de la rotule, d'épilepsie et de certains problèmes oculaires et dentaires.

LE PROPRIÉTAIRE DOIT... être prêt à tenir compagnie à son épagneul papillon et à faire face à ses besoins très modérés en exercice et en toilettage. Il faut de la patience pour acquérir un chiot – la demande tend à dépasser l'offre.

Cette race, qui doit son nom à ses oreilles rappelant des ailes, est originaire d'Espagne et aurait vécu à la cour espagnole comme chien « de manchon ». Il descend probablement d'un certain nombre de races d'épagneuls nains, aujourd'hui éteintes. Il fut exposé pour la première fois en Grande-Bretagne dans les années 1920 et dix ans plus tard aux États-Unis. Cet animal de compagnie populaire est amical, sympathique et plus robuste que de nombreux autres chiens d'agrément.

YEUX Foncés et ronds, enfoncés dans les orbites cerclées de noir, de taille moyenne avec un regard vif et vigilant.

OREILLES Caractéristique la plus notable de cette jolie petite race : larges avec des extrémités pointues, portées vers l'avant et très droites, comme les ailes d'un papillon.

FACE Fine et délicate avec un museau effilé. La truffe est toujours noire. Les marques visibles ici – une liste et un museau blancs divisant en deux une face autrement noire – sont assez courantes.

LIGNE DU DESSUS Très droite, horizontale et uniforme.

QUEUE Elle forme un beau panache et est portée enroulée au-dessus du dos et reposant sur l'un des flancs.

PATTES Élancées, les pattes avant étant droites et les pieds longs dits « de type lièvre » – les deux orteils centraux étant plus longs que les autres.

| MÉMO | EXERCICE 🐾 | ENTRETIEN 🐾 🐾 | ÉDUCATION 🐾 | PRIX DE REVIENT 🐾 🐾 |

Petit lévrier italien

Comme de nombreuses autres races de chiens d'agrément, le petit lévrier italien semble, au premier regard, être simplement une réplique miniature et plus délicate du modèle de grande taille. Son caractère affable et parfois un peu timide correspond à son apparence et il se sentira au mieux avec un maître qui pourra lui offrir un foyer paisible et une relation calme. Ces chiens aiment faire de l'exercice et courent très vite mais ils sont sensibles au froid et doivent porter des manteaux à l'extérieur lorsque les températures sont basses.

CARACTÉRISTIQUES

TAILLE Mâle ou femelle, hauteur au garrot, 33-38 cm.

SILHOUETTE Chien très élégant et gracieux qui possède la silhouette extrêmement élancée caractéristique des lévriers. Le chien doit dégager une impression générale de raffinement sans signe de faiblesse.

ROBE Pelage court et fin, serré contre la peau et très brillant. Dans une variété de couleurs et de combinaisons de couleurs, dont le noir, le feu, le roux et le blanc crème. Les marques bringées et le noir avec des marques feu ne sont pas autorisés dans le standard de la race.

SANTÉ DE LA RACE Chien sujet à une variété de problèmes dont hyperthyroïdie, asthénopie (fatigue de l'œil) et laxité des articulations du genou. Ces petits chiens peuvent cependant avoir une longue espérance de vie.

LE PROPRIÉTAIRE DOIT... avoir une approche douce de l'éducation et la volonté de céder face à la sensibilité de son chien.

OREILLES Fines et de taille moyenne avec un joli pli. Elles remontent légèrement quand le chien est excité mais ne sont jamais totalement droites.

YEUX Ronds, grands et foncés donnant au chien une expression douce.

QUEUE Longue et fine, s'effilant pour se terminer en une petite courbe. Portée bas, elle se dresse légèrement lorsque le chien court.

TÊTE Étroite sur tout le crâne, elle s'effile en un museau fin et élégant.

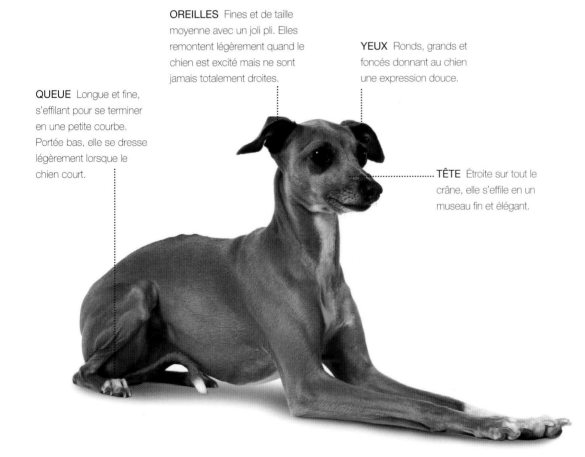

MÉMO | EXERCICE 🐾 🐾 | ENTRETIEN 🐾 | ÉDUCATION 🐾 🐾 | PRIX DE REVIENT 🐾 🐾

Pinscher nain

CARACTÉRISTIQUES

TAILLE Mâle ou femelle, hauteur au garrot, 25-32 cm.

SILHOUETTE Chien minuscule mais bien proportionné, rappelant les attributs de ses cousins pinschers de beaucoup plus grande taille. Le pinscher nain donne au premier abord l'impression d'être un chien de travail et ensuite seulement un chien d'agrément.

ROBE Pelage court, lisse, lustré et luisant, serré contre la peau dans une combinaison de couleurs : feu uni, feu ou chocolat avec des marques rouille et noir avec des marques feu – disposées d'une manière très similaire à celle du doberman beaucoup plus grand.

SANTÉ DE LA RACE Généralement bonne mais avec quelques problèmes, notamment luxations de la rotule, épilepsie et quelques affections cutanées et oculaires.

LE PROPRIÉTAIRE DOIT... avoir beaucoup d'énergie pour faire face à ce petit chien affectueux et dynamique.

Cet énergique chien d'agrément a été à l'origine développé en Allemagne en tant que petit terrier ratier. Au départ beaucoup plus grand, il a été miniaturisé, probablement par l'infusion de sang de greyhound et peut-être de teckel. Il s'agit d'un animal de compagnie dynamique au format compact, toujours prêt à jouer et à courir. Plein d'entrain et de vitalité, il aime être occupé mais possède une personnalité indépendante et peut s'avérer difficile à éduquer.

TÊTE Étroite et s'effilant en un museau pointu, terminé par une truffe noire, excepté pour les chiens à la robe chocolat chez lesquels la truffe est marron foncé.

QUEUE De longueur moyenne, attachée haut et portée droite. Autrefois écourtée chez les chiens de travail mais cette pratique est de moins en moins courante.

OREILLES Grandes, triangulaires, attachées haut sur la tête. Elles sont portées droites, tournées vers l'avant et très mobiles.

PATTES Puissantes et bien musclées, ce chien les lève bien haut quand il marche ce qui lui donne une démarche ressemblant à celle d'un cheval au trot.

Carlin

Contrairement à de nombreuses races de chiens d'agrément, le carlin semble avoir été à l'origine développé uniquement comme chien de compagnie. Il était particulièrement populaire à la cour hollandaise au XVIIe siècle et fut par conséquent en vogue pendant un moment dans toute l'Europe. Désireux de faire plaisir, les carlins adorent la compagnie des humains et sont faciles à éduquer. Leur caractère facile et enjoué ainsi que leur besoin limité en exercice en font des chiens bien adaptés pour vivre dans la plupart des environnements.

QUEUE Il s'agit de l'une des caractéristiques du carlin : attachée haut, elle forme une boucle touffue aussi serrée que possible sur la hanche.

OREILLES En forme de V, fines, de texture douce et veloutée, tombant sur le côté de la tête en un pli net.

TÊTE Grande et carrée, fortement plissée et se terminant en un museau très court, tronqué avec une truffe noire.

PATTES Très puissantes et à la bonne ossature donnant au carlin son allure carrée et compacte.

CARACTÉRISTIQUES

TAILLE Mâle ou femelle, hauteur au garrot, 25-35,5 cm.

SILHOUETTE Corps robuste, plutôt râblé qui se termine d'un côté par une queue en boucle très serrée sur la hanche et de l'autre par une tête très expressive au museau court.

ROBE Pelage court, luisant et serré contre la peau sauf sur la tête et le front où elle tombe en une série de plis. La robe peut être noir uni, argent ou fauve, les deux dernières couleurs présentant des ombres plus foncées autour du museau et des oreilles.

SANTÉ DE LA RACE Les carlins sont sujets à des problèmes respiratoires et à des affections oculaires. Ils présentent également une prédisposition à la crise cardiaque et il faut faire très attention à ce qu'ils ne soient pas surmenés quand il fait chaud.

LE PROPRIÉTAIRE DOIT... avoir du temps pour consacrer beaucoup d'attention à cette race aimante, ainsi qu'un bon seuil de tolérance vis-à-vis des ronflements – les carlins sont d'invétérés ronfleurs.

Caniche toy

CARACTÉRISTIQUES

TAILLE Mâle ou femelle, hauteur au garrot, pas plus de 25 cm.

SILHOUETTE Bien proportionnée et équilibrée, élégante sans être fragile ou paraissant trop sophistiquée.

ROBE Pelage frisé, dense et laineux dans une vaste gamme de couleurs unies dont argent, gris-bleu, noir, marron, abricot et crème.

SANTÉ DE LA RACE La miniaturisation de cette race ne s'est pas faite sans dommage et le caniche toy présente plus de prédispositions génétiques à une variété de problèmes que les caniches de plus grande taille, notamment à l'épilepsie, à des affections oculaires, des pathologies cardiaques et à un déséquilibre hormonal appelé maladie d'Addison. En conséquence, il convient de vérifier scrupuleusement les géniteurs si vous faites l'acquisition d'un chiot.

LE PROPRIÉTAIRE DOIT... être prêt à consacrer à ce joli petit chien toute l'attention exclusive dont il a besoin et qu'il demande. En échange, le caniche toy endossera volontiers le rôle de parfait chien de compagnie miniature.

Le caniche est un chien inhabituel en cela qu'il existe une version naine et une version toy, et le toy est vraiment très petit : pas plus de 25 cm au garrot d'après le standard de la race, mais souvent beaucoup moins. Pour ce qui est de ses autres caractéristiques, le caniche toy est très semblable à ses cousins de plus grande taille : enjoué, intelligent, dynamique et au caractère bien trempé. Il fait un chien de compagnie idéal, mais avant d'en acheter un, il faut savoir que ce minuscule chien est sujet à beaucoup plus de problèmes de santé que les caniches plus grands.

Bien que le caniche standard ait été sélectionné pour donner naissance au caniche nain et que ce dernier ait à son tour été sélectionné pour créer le toy, la véritable personnalité du caniche originel a réussi à rester intacte. C'est aujourd'hui l'une des races de chiens d'agrément les plus populaires.

La toilette d'exposition complète est une réplique de celle des caniches plus grands et coûte cher à entretenir : le chien doit être toiletté avec art par un professionnel toutes les six semaines. Cette toilette trouve son origine dans une coupe pratique effectuée sur un chien utilisé pour rapporter du gibier d'eau, mais sous une forme extrême : les bracelets de poils autour des chevilles et des genoux servaient à garder au chaud les articulations du chien, de même que l'épaisse collerette s'étendant de la tête au poitrail, tandis que le dessous du corps, le haut des pattes et les pieds étaient tondus court pour octroyer à l'animal une grande liberté de mouvement lorsqu'il nageait. Si le caniche ne participe pas à des expositions, une toilette d'utilité totale tous les quelques mois, laissant le chien avec une coupe courte de la même longueur sur l'ensemble du corps, suffit pour le garder en bonne condition. Cette race ne perd pas de poil et a donc besoin d'une forme ou d'une autre de coupe de temps en temps pour garder sa robe propre et en bon état. Les nombreux inconditionnels du caniche affirment que ce chien est hypoallergénique, c'est-à-dire qu'il ne déclencherait aucune allergie chez les allergiques aux poils de chien, mais bien que la robe à poil dur et laineux semble causer moins de problèmes à ces personnes que le pelage de la plupart des chiens, ce n'est pas une vérité universelle et certains trouvent qu'ils sont autant allergiques au caniche qu'aux autres races de chien.

Les caniches toys peuvent très bien s'adapter à un mode de vie actif et n'ont pas besoin d'être dorlotés ; ils aiment apprendre, peuvent suivre des cours d'agility, se distinguer dans les classes d'obéissance et sont capables d'apprendre un certain nombre de tours.

TÊTE Le crâne est arrondi et descend avec un stop peu marqué vers le long museau bien ciselé et plutôt étroit.

OREILLES Attachées au même niveau que les yeux, très longues et larges et densément couvertes de poils épais.

YEUX Largement écartés, ovales et invariablement foncés quelle que soit la couleur de la robe. Regard très vif et intelligent.

COU Puissant et bien musclé, supportant le port fier de la tête particulièrement caractéristique de cette race.

PATTES Longues et droites avec un arrière-train fortement développé et musclé.

PIEDS Tournés vers l'avant sur les pattes avant et arrière qui sont petites et droites par rapport à la taille globale du chien, avec des orteils cambrés et des coussinets compacts et épais.

MÉMO   **EXERCICE** 🐾   **ENTRETIEN** 🐾 🐾 🐾   **ÉDUCATION** 🐾 🐾 🐾   **PRIX DE REVIENT** 🐾 🐾 🐾

Affenpinscher

CARACTÉRISTIQUES

TAILLE Mâle ou femelle, hauteur au garrot, 24-27 cm.

SILHOUETTE Petit chien clownesque, naturellement hirsute à l'expression amusante et extrêmement vivante.

ROBE Pelage dur et dense, naturellement assez court mais bien détaché du corps du chien. Robe noire chez la plupart des chiens mais parfois rouge, grise, argent et noir et feu.

SANTÉ DE LA RACE Ce chien est peu prolifique mais une fois adulte il a peu de problèmes de santé. On dénombre quelques cas de dysplasie de la hanche et de cataracte.

LE PROPRIÉTAIRE DOIT... faire preuve d'enthousiasme pour éduquer ce chien indépendant et varier les plaisirs afin d'éviter l'ennui. Ce chien est déconseillé aux familles avec enfants car les affenpinschers peuvent se montrer un peu agressifs.

Littéralement « griffon singe », ce curieux petit chien au museau court est issu d'une race de chiens ancienne développée à l'origine en Allemagne comme ratier. Bien que classé dans la catégorie des chiens d'agrément, il possède un caractère semblable à celui des terriers : extrêmement sûr de lui et curieux, il examinera toutes les situations qui se présenteront à lui et cherchera un moyen de les retourner à son avantage. Il s'intègre dans la plupart des environnements et s'entend avec presque tous les types de maîtres.

TÊTE Ronde, yeux foncés et face assez plate associés à un pelage abondant sur le visage ce qui donne à ce chien une apparence burlesque.

DOS Court, droit et compact. L'affenpinscher possède dans l'ensemble une carrure trapue pour sa petite taille.

QUEUE Attachée haut, d'une épaisseur à peu près uniforme sur toute sa longueur et portée recourbée sur le dos.

PIEDS Petits et ronds ; quand le chien marche et trottine, sa démarche est légèrement sautillante et très caractéristique.

MÉMO   EXERCICE 🐾 🐾   ENTRETIEN 🐾 🐾   ÉDUCATION 🐾 🐾   PRIX DE REVIENT 🐾 🐾

Chien chinois à crête

Ce chien à l'apparence extraordinaire avait presque disparu dans les années 1960 mais il a connu un regain d'intérêt grâce à un élevage rigoureux. La légende de la race prétend qu'elle est arrivée de Chine en passant par l'Amérique du Sud mais rien n'a été prouvé. Il en existe deux types : un chien nu dépourvu de poils à l'exception de touffes sur les oreilles, la tête et les pieds et une variété duvetée appelée powder puff. Ces deux variantes peuvent naître dans une même portée.

OREILLES Portées dressées et extrêmement frangées avec de longs poils soyeux.

YEUX Bien écartés, foncés et en amande, avec une expression intense et alerte.

LIGNE DU DESSUS Longue et droite mais avec une légère courbe descendante vers la queue.

PEAU La peau nue du chien chinois à crête est très chaude au toucher. Ces chiens aiment être proches de leurs maîtres et réchauffent volontiers leurs genoux. La variété nue doit toujours porter un manteau à l'extérieur même lorsqu'il ne fait pas très froid et une protection solaire quand il fait chaud.

PIEDS Dits « de lièvre », les deux orteils centraux étant plus longs que les autres.

CARACTÉRISTIQUES

TAILLE Mâle ou femelle, hauteur au garrot, 25-33 cm.

SILHOUETTE Le chien chinois à crête possède une peau entièrement nue, souvent marquée de taches pigmentées plus foncées, à l'exception de touffes de poils sur la tête, la queue et les pieds ; la variété powder puff a le corps entièrement couvert d'un pelage duveté.

ROBE Le poil des deux types est très long et soyeux, le powder puff possède un pelage double. Le standard de la race autorise toutes les couleurs et combinaisons de couleurs.

SANTÉ DE LA RACE Peu de problèmes de santé héréditaires, mais le chien chinois à crête est extrêmement sensible à la chaleur et au froid et doit être protégé du soleil en été et du froid en hiver.

LE PROPRIÉTAIRE DOIT... accepter que son chien veuille être tout le temps avec lui. Les chiens chinois à crête sont extrêmement dévoués à leurs maîtres.

Pékinois

CARACTÉRISTIQUES

TAILLE Mâle ou femelle, hauteur au garrot, 15-23 cm.

SILHOUETTE L'abondance de poils cache un chien compact et un peu trapu au museau très court et au port assez suffisant.

ROBE Pelage double extrêmement long avec un poil de couverture rude et rêche plutôt que doux et un sous-poil dense et épais. Toutes les couleurs existent à l'exception du foie et ce chien possède en général un « masque » foncé ou noir, quelle que soit la couleur de sa robe.

SANTÉ DE LA RACE Le pékinois peut être sujet à des maladies cardiaques et respiratoires, des luxations de la rotule, des hernies discales et diverses affections oculaires notamment le trichiasis (cils incarnés). Si vous achetez un chiot, il est indispensable de vérifier la santé de ses géniteurs avec l'éleveur.

LE PROPRIÉTAIRE DOIT... faire preuve de patience pour éduquer ce petit chien indépendant et avoir la force d'esprit nécessaire pour faire face à son obstination occasionnelle.

Même si les origines lointaines de ces chiens ne sont pas connues, ils étaient élevés à la fin du XVIIIe siècle à la cour chinoise comme chiens de compagnie de la famille impériale. Seules les personnes ayant le statut royal étaient autorisées à s'occuper des pékinois ; on pensait qu'ils étaient les manifestations physiques des Fu, les chiens-lions mythiques, gardiens de la Chine. Les plus petits spécimens étaient portés dans les larges manches des robes impériales et la race était inconnue hors de Chine.

La situation a complètement basculé lorsque le palais impérial de Pékin fut pris d'assaut par l'armée britannique dans les années 1860. Bien que des ordres eussent été passés pour tuer tous les chiens de la cour pour éviter qu'ils ne tombent entre les mains des ennemis, cinq pékinois furent découverts et ramenés comme animaux exotiques en Angleterre où l'un d'entre eux fut présenté à la reine Victoria. Ce petit groupe servit à lancer l'élevage des pékinois en Occident et la race fut enregistrée au British Kennel Club en 1893, puis en Amérique en 1909.

Le pékinois est aujourd'hui un animal de compagnie populaire et apparaît régulièrement dans les expositions canines. Il possède une personnalité unique, assez raffinée avec une bonne dose d'indépendance. Il peut se montrer têtu lors du dressage (certains maîtres rapportent que lorsqu'ils contrarient leur pékinois, il peut se mettre à bouder de manière très humaine), mais il est aussi plein d'entrain et aime participer à toutes les activités qui se présentent à lui. Il possède la même confiance en lui

que de nombreux autres petits chiens d'agrément et peut s'avérer querelleur avec les autres chiens lorsqu'il les rencontre pour la première fois, il s'entend sinon en général bien avec les autres animaux de la maison une fois qu'ils ont été présentés convenablement.

Contrairement à de nombreuses autres races, le pékinois peut répugner à faire de l'exercice et être assez délicat avec la nourriture. Même s'il rechigne à bouger, son maître doit l'habituer à faire au moins une courte promenade quotidienne et trouver un régime équilibré qui correspondra à ses goûts assez difficiles pour s'assurer qu'il reste en forme et en bonne santé. La robe complète peut être difficile à supporter par fortes chaleurs et les chiens doivent alors rester au frais et à l'ombre et, éventuellement, être tondus pour les aider à supporter les températures élevées. Cette race peut aussi souffrir d'un certain nombre de problèmes de santé héréditaires de sorte que si vous envisagez l'acquisition d'un pékinois, il vous faudra prendre du temps pour vérifier que ses géniteurs sont sains.

YEUX Foncés pour toutes les couleurs de robe, grands et plutôt ronds. Ils doivent être proéminents mais pas trop protubérants ni globuleux. Le bord des paupières est noir comme la peau qui les entoure.

TÊTE Crâne large, plat et lourd ce qui signifie que la face est plus large que profonde lorsqu'on regarde le chien de face. Le museau très aplati est couvert de poils courts et noirs.

MÂCHOIRE Comme d'autres races à face aplatie, la mâchoire inférieure du pékinois est solide. La bouche doit se fermer parfaitement ; les dents ou la langue apparentes lorsque la bouche est fermée constituent un défaut pénalisé chez les chiens d'exposition.

PATTES Les pattes avant sont un peu arquées et très fortes, les pieds avant sont légèrement tournés vers l'extérieur. Les pattes arrière ont une ossature beaucoup plus légère et les pieds sont tournés vers l'avant.

ROBE Ce chiot pékinois commence juste à développer le pelage extrêmement abondant qui est l'une des caractéristiques principales de cette race. Sa robe encore courte possède cependant déjà la teinte subtile du pékinois.

MÉMO   **EXERCICE** 🐾   **ENTRETIEN** 🐾 🐾 🐾   **ÉDUCATION** 🐾 🐾 🐾   **PRIX DE REVIENT** 🐾 🐾

Bichon maltais

CARACTÉRISTIQUES

TAILLE Mâle ou femelle, hauteur au garrot, 20-25 cm.

SILHOUETTE Chien petit et compact au visage raffiné et au pelage extrêmement dense.

ROBE Pelage simple mais très fin, dense et long. La seule couleur autorisée est le blanc pur, on tolère des marques citron clair sur les oreilles.

SANTÉ DE LA RACE Généralement bonne bien que les sensibilités et allergies cutanées soient fréquentes. Il faut veiller à ce que le chien n'ait pas trop chaud quand les températures sont élevées.

LE PROPRIÉTAIRE DOIT... être préparé à accueillir un compagnon aimant qui deviendra volontiers son « ombre ». Le bichon maltais aime être proche de son maître. Le toilettage prend beaucoup de temps à moins que vous n'optiez pour une coupe courte pratique.

Enjoué et affectueux, le bichon maltais, ou maltais, semble bien comprendre son statut de petit chien d'agrément et se réjouit d'accompagner simplement ses maîtres partout où ils vont. Il s'agit de l'une des plus anciennes races de chiens européennes et il était déjà très populaire comme chien « de manchon » dans de nombreuses cours royales au XVIᵉ siècle. Il connaît aujourd'hui un vif succès comme animal de compagnie et chien d'exposition, s'adaptant facilement aux modes de vie les plus divers.

TÊTE Crâne légèrement arrondi qui s'amenuise vers un museau délicat mais pas trop pointu ou étroit. La truffe est noire.

OREILLES Tombantes, attachées bas, couvertes d'un pelage dense, elles pendent en contact avec les parois latérales du crâne. Les oreilles de ce chiot vont s'allonger avec l'âge.

YEUX Grands, ronds, foncés, cerclés de noir et modérément écartés, ils arborent un regard doux.

PATTES À l'ossature fine et également densément couvertes de poils soyeux. Les pieds sont petits, ronds et bien dessinés.

MÉMO　　**EXERCICE** 🐾　　**ENTRETIEN** 🐾🐾🐾🐾　　**ÉDUCATION**　　🐾🐾　　**PRIX DE REVIENT**　　🐾🐾

Shih tzu

Le shih tzu ressemble beaucoup à son cousin de plus grande taille, le lhassa apso, originaire du Tibet – et la théorie la plus vraisemblable quant à son origine suggère qu'il serait le résultat du croisement d'un lhassa apso avec un pékinois. Chien très estimé dans la Chine impériale, il fut importé pour la première en Occident dans les années 1930 et est devenu depuis un animal de compagnie très apprécié. La nature enjouée, sociable et pleine d'entrain justifie la popularité de ce petit chien.

CARACTÉRISTIQUES

TAILLE Mâle ou femelle, hauteur au garrot, 23-28 cm.

SILHOUETTE Corps compact avec un port de tête ostensiblement droit, entièrement couvert d'un pelage double et long.

ROBE Poil de couverture long sur un sous-poil court et dense de toutes les couleurs ou combinaisons de couleurs. La frange est en général attachée avec un nœud pour permettre au chien de voir correctement.

SANTÉ DE LA RACE Généralement vigoureux et sain, le shih tzu peut souffrir de dysplasie de la hanche et présente une certaine prédisposition aux infections oculaires et rénales.

LE PROPRIÉTAIRE DOIT... avoir de la patience pour entretenir la robe de ce chien qui nécessite beaucoup de soins ou être prêt à le faire tondre court, ainsi que du temps pour satisfaire les besoins modestes en exercice du shih tzu et apprécier son tempérament guilleret.

TÊTE Large, avec un museau court et des yeux larges, foncés et bien écartés donnant au chien une expression douce et vivante.

LIGNE DU DESSUS Droite sur toute la longueur du corps court et compact.

QUEUE Attachée assez haut et portée recourbée au-dessus du dos du chien, elle forme un panache abondant.

COU Musclé et bien galbé, permettant au shih tzu d'avoir un port naturellement dressé et fier.

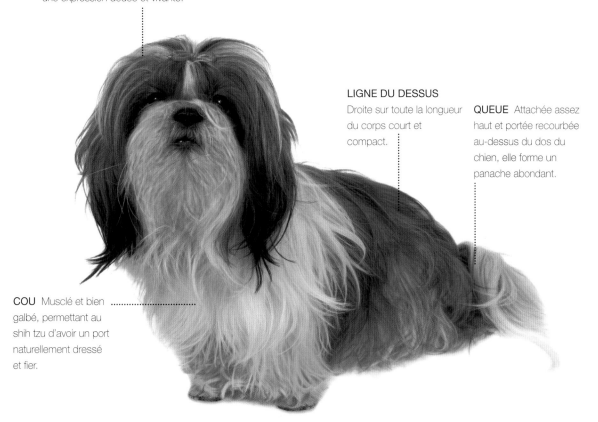

MÉMO | **EXERCICE** 🐾 | **ENTRETIEN** 🐾🐾🐾 | **ÉDUCATION** 🐾 | **PRIX DE REVIENT** 🐾🐾

Griffon bruxellois

CARACTÉRISTIQUES

🐾 **TAILLE** Mâle ou femelle, hauteur au garrot, 20-25 cm.

🐾 **SILHOUETTE** Chien de petite taille, compact et imposant à la carrure robuste et au visage plein de caractère arborant une barbe et une moustache fournies et une expression vive, un peu interrogative.

🐾 **ROBE** Pelage simple qui peut être soit court soit « fil de fer », mais jamais un mélange des deux. Le pelage du chien à poil court est serré contre la peau et luisant ; celui de la version à poil dur est rêche et « fil de fer ». Il existe quatre couleurs : fauve rouge avec du noir sur le visage, noir uni, noir avec des marques feu et beige résultant d'un mélange de poils noirs et marron, généralement avec un masque noir sur le visage.

🐾 **SANTÉ DE LA RACE** Le griffon bruxellois est un petit chien vigoureux et sain avec peu de problèmes de santé héréditaires bien qu'il puisse souffrir de pathologies oculaires et respiratoires. Ses portées sont très peu prolifiques de sorte qu'il peut être difficile de trouver un chiot.

🐾 **LE PROPRIÉTAIRE DOIT...** avoir du temps pour éduquer ce chien indépendant et être conscient de sa personnalité parfois nerveuse : il peut se montrer timide et requiert un traitement cohérent et encourageant ainsi qu'une bonne socialisation pour devenir un animal de compagnie sur lequel on peut compter.

Le griffon bruxellois est classé et exposé à la fois dans les catégories à poil court et à poil dur au Royaume-Uni et aux États-Unis. D'une manière qui prête à confusion, les deux types sont néanmoins considérés comme deux races distinctes en Europe continentale, le chien à poil court étant connu sous le nom de petit brabançon. Mis à part leur robe, ces chiens sont identiques : petits et robustes avec une petite face très expressive et un caractère déterminé rappelant celui des terriers.

La ressemblance du griffon bruxellois avec un terrier n'est pas surprenante car ces petits chiens ont été créés pour chasser les rats : à l'époque des diligences, il était bien connu dans les étables bruxelloises où il était élevé spécifiquement pour cette tâche. Il existe un grand nombre de théories quant aux races qui sont intervenues dans la création du griffon moderne et il semble probable que ses ancêtres les plus récents comptent quelques terriers et qu'il y ait eu des croisements avec des carlins.

Le griffon bruxellois n'étant pas une race très prolifique, il n'a jamais été très répandu ni populaire comme animal de compagnie ce qui lui a épargné certains problèmes héréditaires fréquents chez les races extrêmement populaires dans lesquelles des spécimens fragiles sont utilisés comme reproducteurs avec des animaux sains. Il s'agit donc d'un robuste petit chien qui peut vivre plus de dix ans. Bien qu'il ne soit pas anxieux, le griffon bruxellois a néanmoins besoin d'une éducation douce et attentive et d'une bonne socialisation pour compléter sa nature indépendante et parfois réservée. Cette race a la réputation d'être difficile et lente à acclimater à une nouvelle maison de sorte que son maître devra se montrer plus patient dans ce domaine particulier qu'avec la plupart des autres chiens.

Le griffon à poil dur est épilé à la main plutôt que tondu lorsque le chien est préparé pour une exposition ; ce traitement peut coûter cher, mais la robe des animaux qui ne participent à aucune exposition peut être simplement taillée à la main ou brossée régulièrement pour rester propre et en bon état. La variété à poil court a besoin de très peu de toilettage.

Alors que les besoins en exercice du griffon sont relativement modérés, ce petit chien fait preuve d'une curiosité insatiable et a besoin d'être toujours occupé. Son expression presque humaine lorsqu'il surveille d'un œil les activités de ses maîtres est très touchante.

OREILLES Petites oreilles pendantes, attachées assez haut sur la tête du chien. Il était de coutume de les écourter en pointe chez les chiens de travail, mais les oreilles coupées sont aujourd'hui rares et cette pratique est illégale dans de nombreux pays européens.

LIGNE DU DESSUS Droite et descendant en courbe très légère vers l'arrière-train.

QUEUE Portée droite, la queue naturelle est de longueur moyenne mais était coupée très court chez les chiens de travail. Cette pratique disparaît aujourd'hui progressivement.

TÊTE Crâne haut, légèrement bombé, menant à un museau court et se terminant par une grande truffe noire.

POITRINE Bien descendue et modérément large, correspondant à l'allure musclée et trapue de la race.

PATTES Droites et puissantes, les pieds compacts sont tournés vers l'avant et dotés de coussinets arrondis et d'orteils bien cambrés.

MÉMO   EXERCICE 🐾 🐾   ENTRETIEN 🐾 🐾   ÉDUCATION 🐾 🐾 🐾   PRIX DE REVIENT 🐾 🐾

Chiens non sportifs

Catégorie très éclectique parmi les groupes du Kennel Club, cette section est un véritable fourre-tout pour toutes les races de chiens qui, pour une raison ou une autre, ne rentraient pas dans l'une ou l'autre classification. On y trouve des compagnons improbables, tels l'élégant dalmatien et l'affectueux terrier de Boston, ou encore le chow-chow, réfléchi et majestueux, et le shiba inu, gai mais indépendant.

Terrier de Boston

CARACTÉRISTIQUE

TAILLE Mâle ou femelle, hauteur au garrot, 35,5-43 cm.

SILHOUETTE Chien actif, bien fait avec un corps compact, une face au museau aplati de type bouledogue et une queue courte en général en tire-bouchon.

ROBE Pelage fin, court, lisse, lustré et brillant, de couleur noire, bringée ou noire avec un reflet roux (appelée « phoque » par les professionnels), toutes avec des marques blanches.

SANTÉ DE LA RACE Une certaine prédisposition à la cataracte et autres problèmes oculaires, à la laxité du genou, aux allergies et à la surdité congénitale. Le terrier de Boston est sensible à la chaleur et au froid et ne doit pas faire trop d'exercice quand il fait très chaud ou très froid.

LE PROPRIÉTAIRE DOIT... être capable de satisfaire les besoins très modérés du terrier de Boston en exercice et de donner beaucoup d'attention à ce chien affectueux. Ce chien sociable aime passer du temps avec ses maîtres et ne se sent pas bien si on le laisse seul pendant longtemps.

Enjoué, facile à vivre et intelligent, ce fringant petit chien est surnommé outre-Atlantique le « gentleman américain » par ses nombreux admirateurs, soulignant ainsi ses bonnes manières et son affabilité. Développés à Boston en croisant des terriers et des bouledogues, les premiers spécimens étaient utilisés comme chiens de combat mais furent bientôt sélectionnés pour obtenir un animal de plus petite taille qui pourrait devenir un chien de compagnie. Le terrier de Boston fut exposé pour la première fois en 1870 et enregistré à l'American Kennel Club en 1893.

Bien que jamais très importante, la taille du terrier de Boston varie suffisamment pour qu'il soit classé dans trois catégories de poids différentes dans le standard de la race : léger (en dessous de 6,8 kg), moyen (6,8-9 kg) et lourd (9-11 kg). Cependant, même le plus grand des terriers de Boston reste un chien relativement petit. L'apparence élégante de ce chien est soulignée par l'arrangement des marques pigmentées considéré comme idéal par les éleveurs : une liste blanche entre les yeux qui s'étend jusqu'au front, une bande blanche autour du museau et un poitrail et des pieds blancs. Le terrier de Boston se distingue également par sa démarche : il se déplace en un mouvement bien découpé, presque trottinant.

L'infusion de sang de bouledogue dans le terrier a supprimé un grand nombre des traits les moins désirables mais les plus typiques des terriers. Ce chien n'est en général ni hyperactif, ni impulsif contrairement à de nombreux terriers, même s'il est exceptionnellement vif et dynamique quand il est encore jeune, il se calme en général à l'âge adulte pour développer un caractère espiègle mais foncièrement réservé. Il fait un bon compagnon de jeu pour les enfants d'un certain âge mais est trop petit pour être laissé sans surveillance avec les tout-petits ; il est plus susceptible d'être blessé par une mauvaise manipulation que l'enfant lui-même.

Le terrier de Boston n'a pas besoin de faire beaucoup d'exercice bien qu'il apprécie les promenades régulières et les jeux. Il aime être avec son maître et sera plus que ravi d'être intégré dans les activités quotidiennes. Intelligent et curieux, il s'adapte à la plupart des modes de vie et est facile à vivre – son pelage court ne nécessite qu'un coup de peigne occasionnel. Bien que cette race présente un certain nombre de problèmes de santé héréditaires, la plupart peuvent être évités en s'adressant à un éleveur sérieux.

TÊTE Plutôt carrée avec un museau aplati, légère ressemblance avec le carlin mais sans les plis de peau exagérés sur le museau ou les sourcils.

OREILLES Triangulaires et attachées sur les bords supérieurs du crâne. Portées souvent naturellement droites, elles étaient autrefois écourtées. Cette pratique est aujourd'hui illégale au Royaume-Uni et dans certains pays d'Europe et tend à disparaître partout ailleurs.

YEUX Larges, ronds et très foncés, écartés sur le visage et arborant une expression douce mais vive.

QUEUE Le terrier de boston est atypique en cela qu'il possède deux types de queue naturelle : en tire-bouchon ou courte, droite et effilée.

PATTES Les pattes avant sont très écartées et droites ; les pattes arrière, puissantes et bien musclées, donnent au terrier de Boston son allure caractéristique, confiante et élégante.

MÉMO   EXERCICE 🐾🐾   ENTRETIEN 🐾   ÉDUCATION 🐾🐾   PRIX DE REVIENT 🐾🐾

Dalmatien

CARACTÉRISTIQUE

TAILLE Mâle ou femelle, hauteur au garrot, 48-58 cm.

SILHOUETTE Chien équilibré, vif et d'allure active, immédiatement reconnaissable à sa robe tachetée.

ROBE Pelage épais, lisse, lustré et luisant, près du corps, sans plis ou zones plus lâches. De couleur blanc pur, présentant des taches rondes, caractéristiques, réparties uniformément sur tout le corps, qui peuvent être noires ou foie et idéalement bien écartées les unes des autres et nettement dessinées, mesurant environ 2 à 3 cm de diamètre ou légèrement moins.

SANTÉ DE LA RACE La popularité du dalmatien a eu des répercussions négatives sur sa santé. Un élevage inconsidéré a laissé certaines traces entraînant une vaste palette de troubles et de prédispositions génétiques, notamment épilepsie, allergies, dysplasie de la hanche et hypothyroïdisme. Un chiot sur dix environ naît sourd. Les dalmatiens peuvent souffrir d'une maladie de peau due à une allergie et spécifique à cette race qui a pour symptôme un suintement cutané. Pour ces raisons, il est vivement conseillé de s'adresser à un éleveur réputé.

LE PROPRIÉTAIRE DOIT... avoir suffisamment de temps pour éduquer et socialiser ce chien infatigable et exubérant et lui faire faire suffisamment d'exercice. Les dalmatiens peuvent être d'excellents animaux de compagnie mais ils requièrent beaucoup d'attention.

L'histoire du dalmatien soulève un certain nombre de questions, notamment quant à l'origine de son nom. Ce que l'on sait de son passé n'offre aucun lien avec la Dalmatie, une province de Croatie – il serait en effet plutôt originaire du Royaume-Uni où il était élevé comme chien de coche, trottant à côté des chevaux. Les dalmatiens sont expansifs et font d'excellents chiens de garde. Ils ont une prédilection particulière pour les chevaux et apparemment souvent une affinité spéciale avec eux.

Cette race de chiens est aujourd'hui élevée exclusivement comme chien d'exposition et de compagnie. Sa popularité en tant que tel explosa littéralement à la fin des années 1950 lorsque le film de Dodie Smith, Les *101 Dalmatiens*, sortit sur les écrans. La demande augmenta en une nuit et l'accroissement consécutif de l'élevage, mené de manière souvent irresponsable, légua au dalmatien une palette de problèmes de santé héréditaires que les éleveurs consciencieux commencent seulement à éradiquer. Il est donc primordial de n'acquérir un dalmatien que chez un éleveur sérieux qui peut garantir la santé génétique de ses géniteurs ainsi que leur absence de nervosité et d'agressivité. Une fois l'achat d'un chiot effectué, son maître doit veiller à ce qu'il soit convenablement éduqué et socialisé.

Les chiots dalmatiens naissent avec une robe blanc pur, les taches apparaissent progressivement à mesure qu'ils vieillissent. L'élégance de ce chien peut masquer son véritable caractère : les dalmatiens sont des chiens extrêmement actifs et intelligents qui peuvent se montrer indépendants et entêtés. Ils peuvent aussi être lents à dresser, non pas par manque d'intelligence, mais simplement parce qu'ils sont facilement distraits et choisissent souvent eux-mêmes ce sur quoi ils veulent fixer leur attention. La belle robe du dalmatien perd beaucoup de poils et ces chiens nécessitent un toilettage très régulier. Enfin, les dalmatiens sont assez bruyants et, si on les néglige, ils peuvent aboyer pour se distraire.

Les plus enthousiastes ne se laisseront pas dissuadés par ces arguments. Le dalmatien n'est pas un chien difficile par nature – son maître doit simplement être à la hauteur de ses besoins. Bien qu'il ne s'agisse sans doute pas de la meilleure race de chiens pour des maîtres inexpérimentés, un dalmatien correctement éduqué et faisant suffisamment et régulièrement de l'exercice se montrera un compagnon loyal, enjoué et vif, et fera un excellent chien de famille.

YEUX Bien écartés, en amande arrondie, cerclés de noir. Les yeux peuvent être marron, bleus ou vairons (un de chaque couleur).

OREILLES Attachées haut, larges à la naissance et s'effilant vers une extrémité pointue. Portant idéalement des taches uniformément réparties comme sur le reste du corps, mais parfois unies comme ici.

TÊTE Modérément longue, le dessus du crâne étant aplati. Le museau est long et bien dessiné, plein, sans concavité. La truffe est grande et doit être noir uni chez les chiens à taches noires et foie uni chez les chiens à taches foie.

COU Long, puissant et bien musclé, élégant, bien galbé vers les épaules du chien.

POITRINE Bien descendue, côtes larges, ajoutant à l'apparence globale de puissance de ce chien.

PIEDS Bien proportionnés, arrondis et bien dessinés, avec des coussinets puissants, élastiques, bien serrés et cambrés.

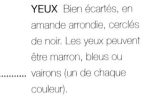

● MÉMO   EXERCICE 🐾 🐾 🐾 🐾   ENTRETIEN 🐾 🐾 🐾   ÉDUCATION   🐾 🐾 🐾 🐾   PRIX DE REVIENT   🐾 🐾 🐾

Bulldog anglais

CARACTÉRISTIQUE

🐾 **TAILLE** Mâle ou femelle, hauteur au garrot, 30-41 cm.

🐾 **SILHOUETTE** Chien inscriptible dans un carré, court sur pattes donnant une impression de grande force et de solidité. La face est courte, très plissée et plein de caractère ; le maintien est solennel mais d'une grande douceur.

🐾 **ROBE** Pelage court, fin et luisant dans une variété de couleurs incluant le bringé, le rouge bringé, le rouge uni, le blanc, le fauve ou le marron ou bien toutes ces couleurs avec un museau et une face noirs, ainsi que le pie (taches noires et blanches).

🐾 **SANTÉ DE LA RACE** Pour un chien qui a été sans cesse sélectionné pour favoriser une certaine apparence, le bulldog présente relativement peu de problèmes génétiques, mais ceux qu'il a sont graves : une vaste palette d'affections respiratoires, des voies nasales et une trachée trop étroites et une dysplasie de la hanche grave. À cause de leur grosse tête, les bulldogs naissent souvent par césarienne. Même adulte, ce chien peut avoir besoin de beaucoup de soins vétérinaires malgré son apparence puissante.

🐾 **LE PROPRIÉTAIRE DOIT...** avoir suffisamment d'argent et de temps pour faire face aux besoins médicaux parfois importants du bulldog et prendre la peine de bien comprendre cette race séduisante mais sensible.

Il y a 200 ans, le bulldog anglais avait un aspect très différent. Créée spécifiquement pour les combats contre les taureaux et les combats de chiens, à partir notamment de chiens de type mastiff élevés pour les combats contre les taureaux depuis le XIIIe siècle, cette race très ancienne fut développée pour être efficace dans son « sport ». Le bulldog anglais possédait alors des pattes beaucoup plus longues, il était moins musculeux, plus athlétique et avait dans l'ensemble une apparence plus « fonctionnelle ».

Lorsque les combats contre les taureaux furent interdits en 1835, on pensa que le bulldog allait disparaître, son rôle étant devenu obsolète. Cependant quelques enthousiastes continuèrent l'élevage et le premier club de propriétaires de bulldogs fut créé en 1875. En quelques décennies, le tempérament agressif qui avait fait leur réputation fut progressivement supprimé et une silhouette plus exagérée – grosse tête, pattes à l'ossature très forte et arquées – fut privilégiée. Dès les années 1920, le bulldog avait l'apparence qu'on lui connaît aujourd'hui. Cet élevage sélectif eut pour inconvénient la transmission d'un certain nombre de problèmes de santé. La liste n'est pas immensément longue, mais il faut la prendre en compte et quiconque choisit ce chien de compagnie doux doit en avoir connaissance pour offrir au bulldog anglais l'environnement et les soins dont il a besoin.

Le bulldog moderne est amical et facile à vivre. Il ne présente aucune difficulté spécifique en matière d'éducation et aime les êtres humains – il est très affectueux envers ceux qu'il connaît bien et tolérant avec les étrangers, que ce soit des hommes ou des chiens. En termes d'entretien, il a besoin de faire de l'exercice régulièrement mais paisiblement – les bulldogs ne peuvent pas se permettre de prendre du poids car cela malmène leur cœur mais ils ne peuvent pas faire trop d'exercice quand il fait chaud car ils sont extrêmement sensibles à la chaleur. La plupart ne savent pas nager – leur tête immense les déséquilibre dans l'eau – et certains propriétaires éduquent leur chien pour qu'il ait peur de l'eau afin d'assurer sa sécurité. Les bulldogs apprécient la présence de leurs congénères et de nombreuses personnes en possèdent deux en même temps. Pour s'amuser, la plupart des chiens de cette race aiment les jouets et ils adorent mâchouiller tout ce qu'il trouve, leurs maîtres doivent cependant garder en tête que les jouets qu'ils choisissent pour un bulldog doivent être suffisamment résistants.

OREILLES En « rose »
– c'est-à-dire que
l'extrémité supérieure est
repliée vers l'arrière –,
attachées haut et bien
écartées sur la tête.

TÊTE Crâne massif et très carré qui donne
au bulldog sa face courte et aplatie. La peau
tombe en plis profonds sur le front, les
babines (le morceau de peau de la lèvre
supérieure) sont épaisses et pendent au-
dessus de la mâchoire inférieure. La truffe
doit être noire et les yeux sont foncés,
bien écartés et placés bas.

LIGNE DU DESSUS Le
bulldog possède ce que l'on
appelle un « dos de carpe »
dans lequel la ligne du
dessus est plus élevée au-
dessus des épaules,
s'incurve au centre du dos
puis remonte de nouveau
avant de tomber vers la
queue.

QUEUE Soit
droite, soit en « tire-
bouchon » – cette
dernière étant plus
enroulée que
recourbée –, épaisse
à la naissance et
effilée à l'extrémité,
portée pointée vers
le bas.

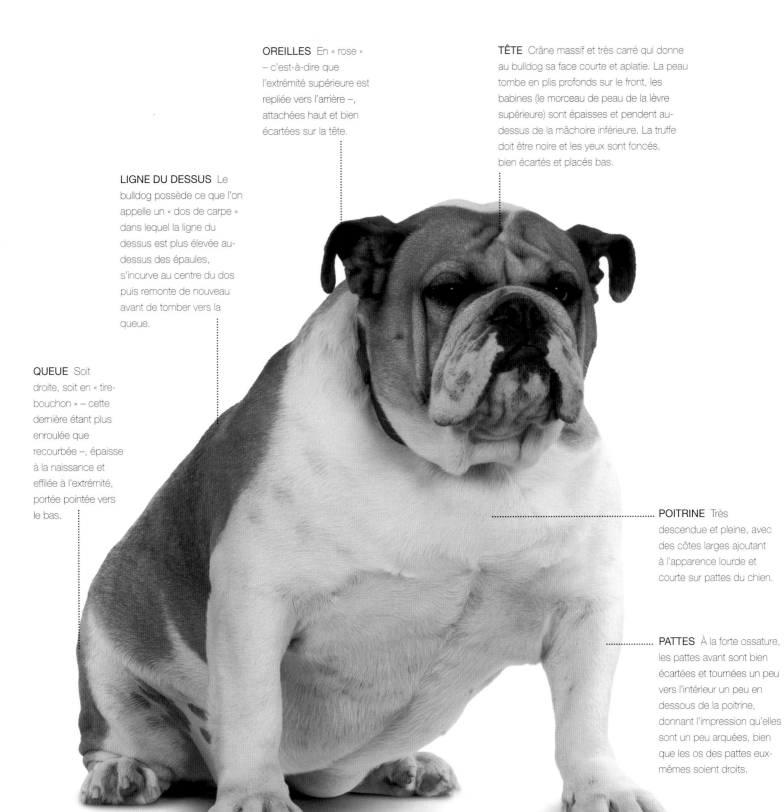

POITRINE Très
descendue et pleine, avec
des côtes larges ajoutant
à l'apparence lourde et
courte sur pattes du chien.

PATTES À la forte ossature,
les pattes avant sont bien
écartées et tournées un peu
vers l'intérieur un peu en
dessous de la poitrine,
donnant l'impression qu'elles
sont un peu arquées, bien
que les os des pattes eux-
mêmes soient droits.

MÉMO   EXERCICE 🐾 🐾   ENTRETIEN 🐾 🐾   ÉDUCATION 🐾 🐾 🐾   PRIX DE REVIENT 🐾 🐾 🐾 🐾

Sharpeï

CARACTÉRISTIQUE

TAILLE Mâle ou femelle, hauteur au garrot, 46-56 cm.

SILHOUETTE Chien imposant et fort au corps inscriptible dans un carré avec une robe et une tête inhabituelles, les deux étant couvertes de plis de peau profonds. Il arbore une expression distante, un peu féroce.

ROBE Poil dut et hérissé, mat plutôt que brillant même lorsque le chien est en bonne santé. La robe peut être de différentes couleurs unies : noir, rouge, fauve ou crème. Les chiots sharpeïs ne sont qu'un tas de plis, mais ils grandissent dans leur peau et l'apparence plissée diminue alors.

SANTÉ DE LA RACE Chien généralement vigoureux mais, comme on peut s'y attendre, le sharpeï peut souffrir d'un certain nombre d'allergies cutanées. La race a aussi une propension aux cils incarnés et à d'autres problèmes oculaires. La peau entourant le visage doit en particulier être nettoyée régulièrement pour que les plis ne gardent pas des saletés qui pourraient entraîner une infection. Enfin, les sharpeïs peuvent souffrir d'une fièvre récurrente spécifique à cette race et appelée « fièvre familiale du sharpeï ».

LE PROPRIÉTAIRE DOIT... disposer de temps et faire preuve de détermination pour éduquer ce grand chien à l'obéissance. Les sharpeïs peuvent se montrer têtus, mais une fois bien dressés, ils font d'affectueux animaux de compagnie.

Chien imposant et majestueux, le sharpeï possède une peau très ridée qui retombe en plis larges sur sa tête, son poitrail et son dos évitant toute confusion avec une autre race. Ajoutez à cela les plis encore plus abondants autour des joues, du museau et de la truffe et vous obtiendrez une race à l'apparence unique et aux origines très anciennes, dont les racines se situeraient soit dans les montagnes du Tibet soit dans le nord de la Chine.

Ce chien au physique inhabituel était encore décrit comme « la race la plus rare au monde » dans les années 1990, mais au cours des dix dernières années, sa popularité a augmenté, tout d'abord comme chien d'exposition puis plus récemment comme animal de compagnie, certes peu commun mais adorable.

Créé à l'origine comme chien de combat, il portait d'ailleurs le nom de « chien de combat chinois » lorsqu'il fut importé pour la première fois en Occident, le sharpeï était également utilisé comme chien de chasse et comme gardien de bétail. Sa robe fortement plissée possédait une utilité pratique : son adversaire au combat avait du mal à le saisir et lorsque le chien avait été attrapé, sa peau en excès lui permettait encore de se retourner contre son assaillant. Le nom « sharpeï » serait une déformation d'une expression chinoise signifiant « peau de sable » ce qui constitue une description exacte de la texture rugueuse et rêche de la robe du sharpeï.

Ce chien possède un regard parfois difficile à interpréter car il est dissimulé par une masse de plis profonds, mais il possède un caractère bien trempé. Le standard de la race décrit son attitude comme « snob » et les éleveurs estiment que ce chien a une allure « arrogante ». Malgré ces qualificatifs qui semblent négatifs, un sharpeï correctement éduqué et socialisé est profondément dévoué à ses maîtres et peut se montrer espiègle et affectueux. Cependant, même un chien bien dressé est susceptible de rester méfiant et distant à l'égard des étrangers, et prudent voire agressif avec les chiens qu'il ne connaît pas. Compte tenu de la force de ce chien de combat, une bonne éducation est essentielle pour que le sharpeï puisse être élevé comme animal de compagnie. En termes d'entretien, sa robe plissée nécessite un brossage et un nettoyage réguliers. En revanche ce chien ne requiert qu'une dose relativement limitée d'exercice.

YEUX Très enfoncés dans les orbites, petits, en amande et de couleur foncée. Chose peu surprenante, les sharpeïs ont une mauvaise vision périphérique et à distance.

OREILLES Bien écartées et attachées haut sur la tête ; très petites et triangulaires, enroulées vers l'avant, elles tombent bien appliquées contre le crâne.

QUEUE De taille moyenne, épaisse et large, s'effilant sur sa longueur et recourbée sur un des deux côtés du dos.

TÊTE Profonde, large et couverte d'abondants plis lâches. Le visage présente souvent un masque plus foncé sur le museau qui est fortement plissé et rembourré le faisant ressembler à celui d'un hippopotame.

PATTES Droites, à l'ossature solide et musclées, en général dépourvues de plis à l'exception d'une petite zone au-dessus des pieds.

MÉMO **EXERCICE** 🐾🐾 **ENTRETIEN** 🐾🐾🐾 **ÉDUCATION** 🐾🐾🐾🐾 **PRIX DE REVIENT** 🐾🐾🐾🐾

Shiba inu

CARACTÉRISTIQUE

TAILLE Mâle, hauteur au garrot, 37-42 cm ; femelle, hauteur au garrot, 35-40 cm.

SILHOUETTE Chien séduisant et vif aux lignes harmonieuses et doté d'une jolie tête ressemblant à celle d'un renard.

ROBE Pelage double avec un sous-poil épais et doux et un poil de couverture dur et droit. La robe peut être rouge, noire et feu ou sésame (fond rouge mélangé avec des poils noirs). Le contraste pâle qu'arborent toutes les couleurs porte le nom d'urajiro.

SANTÉ DE LA RACE Généralement bonne mais une certaine prédisposition aux problèmes oculaires, aux luxations de la rotule et à l'épilepsie.

LE PROPRIÉTAIRE DOIT... avoir du temps et de l'énergie pour éduquer ce chien énergique et indépendant et le socialiser entièrement.

Le shiba inu, l'un des animaux de compagnie les plus populaires au Japon, fut importé pour la première fois en Occident dans les années 1970 et gagne à présent en popularité aux États-Unis et au Royaume-Uni. Ce chien séduisant fut à l'origine créé pour la chasse et peut faire preuve d'un certain esprit d'indépendance, mais correctement éduqué, il fait un chien de famille très vivant.

QUEUE Densément poilue et portée enroulée au-dessus du milieu du dos.

OREILLES Ouvertes et triangulaires, attachées haut sur la tête, bien écartées et légèrement inclinées vers l'avant.

TÊTE Large au niveau des joues, avec des yeux noirs expressifs et triangulaires, s'amenuisant légèrement vers un museau bien dessiné.

URAJIRO Mot japonais qui désigne le motif précis du pelage contrasté sur la tête et le devant du chien. Entre les deux couleurs, le pelage semble presque ombré, créant un effet subtil.

PIEDS Dits « de chat », bien dessinés et ronds, avec des orteils hauts et cambrés.

🐾 Chow-chow

Les chows-chows sont élevés en Chine, leur pays natal, comme chiens de chasse depuis au moins 2 000 ans ; ils y étaient également utilisés pour leur chair et leur fourrure. Introduit en Occident au milieu du XIXᵉ siècle, le chow-chow n'est absolument pas un animal fait pour des personnes inexpérimentées – ce beau chien distant a besoin d'une éducation ferme, douce et continue, il ne s'intéresse pas aux étrangers et peut se montrer agressif avec les autres chiens.

CARACTÉRISTIQUE

🐾 **TAILLE** Mâle, hauteur au garrot, 48-56 cm ; femelle, hauteur au garrot, 46-51 cm.

🐾 **SILHOUETTE** Chien robuste, compact, s'inscrivant dans un carré et portant une queue enroulée caractéristique. Carrure extrêmement musclée.

🐾 **ROBE** Pelage double dont il existe deux types différents : long et court. Les deux possèdent le même sous-poil épais mais la version à poil court possède un poil de couverture plus rêche et plus raide. Le chow-chow existe uniquement de couleur unie : noir, rouge, gris-bleu, fauve et crème.

🐾 **SANTÉ DE LA RACE** La race enregistre de nombreux cas de dysplasie de la hanche et du coude, de luxations de la rotule et d'affections oculaires. En conséquence, il est conseillé de ne s'adresser qu'à des éleveurs soigneusement sélectionnés.

🐾 **LE PROPRIÉTAIRE DOIT...** avoir au moins autant de caractère que ce chien très déterminé.

TÊTE Volumineuse et portée très haut, arborant une expression renfrognée caractéristique et des yeux très enfoncés dans les orbites. La langue est, chose peu habituelle, noir bleuté.

OREILLES Très écartées, attachées à chaque extrémité de la tête du chien ; petites, triangulaires et portées droites, légèrement inclinées vers l'avant.

QUEUE Densément fournie, attachée haut et portée recourbée le long de la ligne du dos.

PATTES Puissantes et à la forte ossature. Les pattes postérieures du chow-chow sont très droites ce qui lui donne une démarche assez guindée.

Bouledogue français

CARACTÉRISTIQUE

TAILLE Mâle ou femelle, hauteur au garrot, 30 cm ou moins.

SILHOUETTE Chien de petite taille, au museau court et court sur pattes, de type bouledogue classique, avec de grandes oreilles droites extrêmement caractéristiques.

ROBE Pelage doux, ras et lâche, présence de plis autour du museau et du cou. Le poil est fin et brillant. La robe est bringée, fauve ou blanche, ou bringé et blanc mélangés.

SANTÉ DE LA RACE Comptant en général parmi les races les plus saines de chiens à museau court, le bouledogue français peut néanmoins souffrir de problèmes oculaires (dont un renversement des paupières en dedans et de cataracte) et de luxations de la rotule.

LE PROPRIÉTAIRE DOIT... satisfaire à relativement peu de besoins spécifiques par rapport à de nombreuses autres races. Les bouledogues français sont très affectueux, assez faciles à éduquer et n'ont pas besoin de faire beaucoup d'exercice (mais ils doivent tout de même faire des promenades régulièrement). Ce chien a besoin de compagnie et ne se sentira pas bien si on le laisse seul pendant longtemps.

Il existe de nombreuses théories quant aux ancêtres du bouledogue français mais la plus vraisemblable semble être qu'un certain nombre de bouledogues de petite taille, élevés comme animaux de compagnie et non comme chiens de combat, arrivèrent en France avec leurs maîtres lorsque ceux-ci émigrèrent d'Angleterre pour travailler comme ouvriers dans l'industrie textile au milieu du xixe siècle. Ces bouledogues de très petite taille furent accouplés avec des reproducteurs français et donnèrent progressivement naissance au bouledogue français à oreilles de chauve-souris et au museau retroussé que l'on connaît aujourd'hui.

D'autres hypothèses avancent plus ou moins la même histoire mais affirment que les bouledogues originels furent croisés avec des chiens espagnols (ou même que des chiens exclusivement français et espagnols créèrent la race). Où que se niche la vérité, le bouledogue français était devenu au début du xxe siècle un animal de compagnie très en vogue des deux côtés de la Manche, apprécié de personnages aussi divers qu'Edward VII, roi d'Angleterre, ou Colette, célèbre romancier de l'époque romantique. À partir de 1910 environ, la race attira l'attention lors d'expositions aux États-Unis. La caractéristique la plus évidente de ce petit français, ses adorables grandes oreilles de chauve-souris dressées (que les admirateurs de la race appellent parfois « oreilles tulipes », ce qui est certes plus joli mais moins éloquent), a pris un peu de temps à s'imposer dans la lignée. Créé exclusivement comme chien de compagnie, le bouledogue français n'a jamais été utilisé pour le combat, contrairement à de nombreuses autres races anciennes issues du mastiff, et a toujours été très populaire comme animal domestique.

Le bouledogue français est l'une des races de bouledogues (ou bulldogs en anglais) les plus saines. Cependant, à cause de son museau aplati, il est sujet aux coups de chaleur et ne doit pas faire trop d'exercice lorsque les températures sont élevées. Il est par ailleurs pratiquement incapable de nager et doit être tenu éloigné des eaux profondes. Ses besoins en exercice sont modérés et bien qu'il aime marcher, il ne faut pas le faire trop courir car il peut souffrir de luxations de la rotule. Cette race est facile à vivre et de nature douce ; le bouledogue français n'est pas agressif que ce soit avec les étrangers ou les chiens qu'il ne connaît pas – bien qu'il puisse être bruyant et se révéler un chien de garde efficace pour sa taille.

 OREILLES « De chauve-souris » très grandes et droites, s'amenuisant à partir d'une base large pour se terminer en une extrémité arrondie. Attachées haut sur le crâne et tournées vers l'avant.

TÊTE Volumineuse et carrée avec un museau camus et une peau lâche sur toute la tête formant des plis sur le front et autour de la truffe.

QUEUE Naturellement courte (non coupée) et en général enroulée (avec un coude léger, mais pas en boucle totale) ; certains chiens font exception à la règle et portent leurs queues très courtes, droites.

YEUX Foncés et ronds, bien descendus sur le visage sous un front haut, le bord des paupières est noir. Proéminents mais pas globuleux avec une expression calme mais vigilante caractéristique de la nature du chien.

PATTES Solides et placées relativement sur les côtés du poitrail, donnant au chien une apparence carrée et impassible.

POITRINE En barrique – bien descendue, large et très arrondie.

MÉMO   EXERCICE 🐾🐾   ENTRETIEN 🐾   ÉDUCATION 🐾🐾🐾   PRIX DE REVIENT 🐾🐾

Caniche standard

CARACTÉRISTIQUE

TAILLE Mâle ou femelle, hauteur au garrot, 40-61 cm.

SILHOUETTE Le caniche standard, le plus grand des trois types de caniche, est un chien actif, équilibré et bien charpenté.

ROBE Pelage très épais, dense et frisé de couleur unie noire, crème, fauve, abricot et grise.

SANTÉ DE LA RACE La popularité de cette race a entraîné certains problèmes héréditaires ainsi que d'autres pathologies non héréditaires dont l'épilepsie, des allergies cutanées, la dysplasie de la hanche et la torsion-dilatation de l'estomac. Les caniches standard doivent être achetés chez un éleveur réputé et sérieux.

LE PROPRIÉTAIRE DOIT... avoir du temps pour satisfaire les besoins en exercice de ce chien dynamique et la volonté de le faire toiletter régulièrement – même les caniches dont les poils sont coupés à une longueur courte et uniforme requièrent les services d'un professionnel.

Tous ceux qui ne l'ont vu qu'arborant sa toilette d'exposition seront sans doute surpris d'apprendre que le caniche était, et est toujours, un chien de travail très efficace. Créé à l'origine comme chien d'eau, il est aujourd'hui plus généralement élevé comme animal de compagnie. Le caniche est normalement actif, curieux, extraverti et agréable avec les enfants et les autres animaux. Il a besoin de faire régulièrement de l'exercice et aime particulièrement nager

TÊTE Longue et fine, avec un museau régulier et effilé et des yeux foncés en amande.

COU Puissant et musclé, soutenant le port dressé de la tête.

OREILLES Attachées sur une ligne partant de la commissure des yeux ; larges et assez longues, elles sont couvertes d'une frange fournie mais pas extrêmement longue de poils ondulés.

PIEDS Ovales, petits par rapport à la taille du chien, munis de coussinets compacts et d'orteils bien cambrés.

MÉMO EXERCICE ENTRETIEN ÉDUCATION PRIX DE REVIENT

Schipperke

Le schipperke a été développé en Belgique pour garder les péniches (son nom signifie « skipper » en flamand) et connaît un vif succès comme chien de compagnie et de travail depuis plus d'un siècle. Vif et indépendant, il peut s'adapter à la plupart des modes de vie mais requiert beaucoup d'attention et, chose assez surprenante pour sa taille, de relativement beaucoup d'exercice. Mis à part ces exigences, c'est un chien facile à vivre bien qu'il perde abondamment ses poils deux fois par an, périodes pendant lesquelles il doit être peigné tous les jours.

CARACTÉRISTIQUE

TAILLE Mâle, hauteur au garrot, 28-33 cm ; femelle, hauteur au garrot, 25-30 cm.

SILHOUETTE Petit chien de garde actif à la silhouette inscriptible dans un carré et arborant une expression vive et alerte.

ROBE Pelage double et dense, plus court sur les pattes et la tête avec une collerette autour du cou qui s'étend le long du dos. Les schipperkes sont en général noir uni mais les couleurs crème et fauve existent aussi.

SANTÉ DE LA RACE Les schipperkes sont des chiens robustes à la longue espérance de vie mais la race a récemment été atteinte par le syndrome de Sanfilippo (MPS IIIB), une maladie génétique fatale. Il est conseillé de n'acheter les schipperkes que chez des éleveurs qui ont sélectionné des géniteurs sains.

LE PROPRIÉTAIRE DOIT... permettre au schipperke de participer à sa vie 24h/24 et 7 jours sur 7 et faire faire beaucoup d'exercice à ce séduisant petit chien.

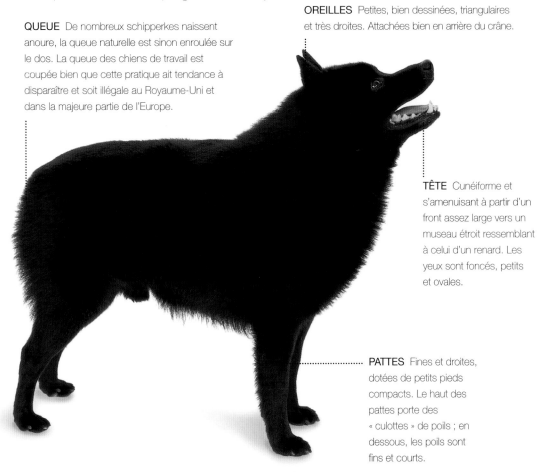

QUEUE De nombreux schipperkes naissent anoure, la queue naturelle est sinon enroulée sur le dos. La queue des chiens de travail est coupée bien que cette pratique ait tendance à disparaître et soit illégale au Royaume-Uni et dans la majeure partie de l'Europe.

OREILLES Petites, bien dessinées, triangulaires et très droites. Attachées bien en arrière du crâne.

TÊTE Cunéiforme et s'amenuisant à partir d'un front assez large vers un museau étroit ressemblant à celui d'un renard. Les yeux sont foncés, petits et ovales.

PATTES Fines et droites, dotées de petits pieds compacts. Le haut des pattes porte des « culottes » de poils ; en dessous, les poils sont fins et courts.

MÉMO   EXERCICE 🐾 🐾 🐾   ENTRETIEN 🐾 🐾   ÉDUCATION 🐾 🐾 🐾   PRIX DE REVIENT 🐾 🐾

Spitz allemand

CARACTÉRISTIQUE

TAILLE Mâle, hauteur au garrot, 43-48 cm ; femelle, hauteur au garrot, 41-46 cm.

SILHOUETTE Chien de taille moyenne possédant l'apparence classique des spitz, une carrure compacte et un museau ressemblant à celui d'un renard.

ROBE Poil de couverture long, droit et un peu rêche, bien écarté du sous-poil doux et dense. La couleur est un mélange de noir, de gris et de crème sur un sous-poil plus clair.

SANTÉ DE LA RACE Quelques problèmes de santé, notamment dysplasie de la hanche, luxation de la rotule, épilepsie et hypothyroïdisme. Le spitz allemand peut également souffrir de torsion-dilatation de l'estomac.

LE PROPRIÉTAIRE DOIT... donner à ce chien une attention exclusive qu'il considère comme très importante. Le spitz allemand aime passer du temps avec ses maîtres et n'aime pas rester seul.

Le spitz allemand ou loulou de Poméranie fut à l'origine développé pour garder les bateaux. Dans certaines régions, il porte aussi le nom de keeshond qu'il doit à Kees de Gyselaer, un patriote flamand qui se trouvait du côté des perdants lors d'une révolte contre la maison royale dans les années 1780. Le chien, sa mascotte, devint par conséquent fort impopulaire mais connu un regain de gloire au XIXe siècle et est aujourd'hui élevé à la fois comme chien de garde et animal de compagnie.

TÊTE Modérément cunéiforme, s'amenuisant vers la truffe avec un museau plus foncé et des « lunettes » sombres autour des yeux placés en oblique et profondément enfoncés dans les orbites.

OREILLES Petites, triangulaires et bien dessinées, attachées haut et portées très droites.

QUEUE Très touffue et portée enroulée fermement sur le dos à la manière des spitz.

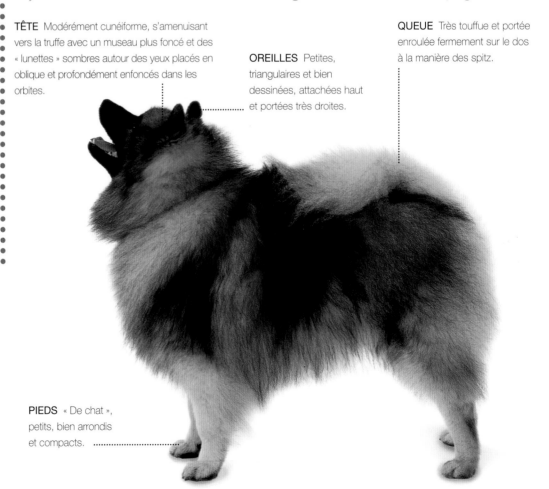

PIEDS « De chat », petits, bien arrondis et compacts.

Lhassa apso

Le lhassa apso fut importé en Grande-Bretagne et aux États-Unis dans les années 1930. Auparavant la tradition voulait que le dalaï-lama offre ce petit chien (qui gardait les monastères tibétains) à ses visiteurs les plus illustres. Le lhassa apso a tendance à être le chien d'un seul maître avec lequel il se montrera affectueux et espiègle. Ce chien doit être consciencieusement socialisé mais il ne faut pas s'attendre à ce qu'il s'entende facilement avec les autres animaux ou les enfants.

CARACTÉRISTIQUE

TAILLE Mâle, hauteur au garrot, 23-28 cm ; femelle, hauteur au garrot, 20-25 cm.

SILHOUETTE Chien de garde de petite taille mais trapu avec une attitude alerte et un pelage extrêmement long.

ROBE Poil de couverture long, abondant, très droit et dur, avec un sous-poil court, dans une vaste palette de couleurs et combinaisons de couleurs : doré, grisonné, gris, marron ou blanc ou toute combinaison de couleurs.

SANTÉ DE LA RACE Généralement bonne bien que le lhassa apso présente une prédisposition à certains problèmes oculaires, cils incarnés et entropions notamment, à des pathologies rénales et des infections auriculaires.

LE PROPRIÉTAIRE DOIT... faire preuve de ténacité pour éduquer ce petit chien déterminé (les lhassas apsos peuvent se montrer têtus) et disposer du temps nécessaire pour le toilettage considérable dont il a besoin.

QUEUE Bien touffue, attachée haut et portée enroulée sur le dos.

LIGNE DU DESSUS Droite et d'une longueur supérieure à la hauteur au garrot du chien.

TÊTE De longueur moyenne, s'effilant vers un museau bien dessiné mais pas délicat, entièrement couverte de poils dont des sourcils épais ainsi qu'une moustache et une barbe fournies.

DÉMARCHE Dégagée, vive et aisée. En mouvement, le lhassa apso est très leste.

MÉMO   EXERCICE 🐾 🐾   ENTRETIEN 🐾 🐾 🐾 🐾   ÉDUCATION 🐾 🐾 🐾   PRIX DE REVIENT 🐾 🐾

Bichon frisé

CARACTÉRISTIQUE

TAILLE Mâle ou femelle, hauteur au garrot, 23-30 cm.

SILHOUETTE Petit chien robuste au pelage fourni, soyeux et très lâche.

ROBE La principale caractéristique du bichon frisé est son pelage double épais et tire-bouchonné, au sous-poil doux et soyeux et au poil de couverture légèrement plus frisé, plus dur. Les deux sont de couleur blanc pur, bien que les jeunes chiens présentent parfois des marques crème pâle ou abricot.

SANTÉ DE LA RACE Généralement bonne. Ce chien a une longue espérance de vie mais connaît certains problèmes de santé : allergies cutanées, cataracte, infections oculaires, laxité des genoux et problèmes respiratoires.

LE PROPRIÉTAIRE DOIT... avoir du temps pour toiletter son bichon ou suffisamment d'argent pour faire appel à un professionnel, et consacrer beaucoup d'attention à ce petit chien enjoué.

Le mot « bichon » désigne un groupe de petits chiens blancs dont le bichon frisé est le plus répandu. Ses origines sont incertaines – les bichons sont connus comme chiens de compagnie depuis des siècles et le bichon frisé est sans doute originaire de France ou de Belgique. Aujourd'hui, ce petit chien vif et facile à vivre est à juste titre très apprécié : enjoué, aimant et généralement affable avec les êtres humains et les autres animaux domestiques, il s'adapte à la plupart des modes de vie.

YEUX Noirs ou marron foncé, légèrement arrondis et arborant une expression joyeuse et curieuse.

TÊTE Crâne légèrement arrondi mais atténué par la « houppette » de poils plus longs sur la tête, caractéristique de la race.

LIGNE DU DESSUS Droite à partir de la base du cou puis s'élevant en courbe douce au-dessus de l'arrière-train.

QUEUE Attachée dans l'alignement de la ligne du dessus, densément touffue et portée recourbée sur le dos.

MÉMO   **EXERCICE** 🐾🐾🐾   **ENTRETIEN** 🐾🐾🐾🐾🐾 **ÉDUCATION** 🐾🐾   **PRIX DE REVIENT** 🐾🐾🐾

Spitz finlandais

Malgré son passé de chien de chasse, le spitz finlandais fut introduit au Royaume-Uni et aux États-Unis dans les années 1920 et y a été élevé depuis comme chien de compagnie. Il n'est pas très connu mais est considéré comme un bon chien de famille ; il aime particulièrement les enfants et jouera avec eux en permanence. Il fait un gardien efficace, mais doit être dressé pour modérer sa tendance naturelle à l'aboiement.

CARACTÉRISTIQUE

TAILLE Mâle, hauteur au garrot, 44,5-51 cm ; femelle, hauteur au garrot, 40-46 cm.

SILHOUETTE Chien bien proportionné, de carrure moyenne, athlétique et de belle prestance, possédant l'apparence typique des spitz.

ROBE Pelage double épais, moyennement long avec un poil de couverture raide et rêche et un sous-poil doux. De toutes les nuances brun doré uni de miel pâle à auburn profond, parfois avec de petites marques blanches sur le poitrail et les pieds.

SANTÉ DE LA RACE Problèmes rares mais on dénombre quelques cas de dysplasie de la hanche et du coude, d'épilepsie et de luxation de la rotule.

LE PROPRIÉTAIRE DOIT... avoir suffisamment d'énergie pour éduquer ce chien athlétique et indépendant et lui faire faire de l'exercice et disposer de temps pour l'entretien quotidien de son pelage.

QUEUE Attachée juste en dessous de la ligne du dessus ; longue, poilue et portée en une boucle serrée sur l'un des côtés du corps.

TÊTE Semblable à celle d'un renard, s'effilant uniformément vers le museau avec des yeux doux en amande de couleur foncée et une truffe noire de taille moyenne.

OREILLES Typiques des spitz : triangulaires, attachées haut et portées droites et mobiles.

DÉMARCHE Particulièrement vive, légère et gracieuse, le spitz finlandais passe facilement du trot au galop. Comme la plupart des chiens de chasse de ce type, le spitz finlandais est un coureur d'endurance infatigable à l'allure galopante et dégagée.

MÉMO   **EXERCICE** 🐾🐾🐾🐾   **ENTRETIEN** 🐾🐾🐾🐾   **ÉDUCATION** 🐾🐾🐾   **PRIX DE REVIENT** 🐾🐾

Chiens
de berger

Groupe au nom révélateur, tous les chiens de ce chapitre ont à un

moment ou un autre de leur histoire été utilisés comme gardiens de

troupeaux. Les différentes méthodes employées pour mener à bien

cette tâche expliquent la présence de chiens aux physiques très

variés : les corgis courts sur pattes mordaient le bas des pattes des

animaux sous leur surveillance tandis que d'autres chiens de plus

grande taille servaient à la fois de protecteurs et de gardiens de leurs

troupeaux. La plupart des races de ce groupe ont besoin de faire

énormément d'exercice et certaines requièrent également une forte

stimulation intellectuelle.

Berger allemand

CARACTÉRISTIQUES

TAILLE Mâle, hauteur au garrot, 61-66 cm ; femelle, hauteur au garrot, 56-61 cm.

SILHOUETTE Corps équilibré et bien musclé, d'une longueur supérieure à la hauteur au garrot du chien. Carrure imposante et poitrine bien descendue avec un cou musclé et bien proportionné et une queue large et touffue portée bas et légèrement recourbée.

ROBE Pelage double épais de longueur moyenne. Diverses couleurs sont autorisées dans le standard de la race, les teintes les plus foncées étant préférées. Les couleurs pâles ou bleues dans le pelage sont considérées comme un défaut.

SANTÉ DE LA RACE Présente une prédisposition à la dysplasie de la hanche, à l'eczéma et à des problèmes oculaires. Les bergers allemands au pedigree médiocre peuvent avoir des problèmes d'agressivité.

LE PROPRIÉTAIRE DOIT... faire preuve de confiance en lui et se montrer ferme pour prouver à ce chien au fort caractère qu'il mérite d'être écouté : compagnon canin sans égal, son respect doit être gagné. Le berger allemand a également besoin de place, de faire beaucoup d'exercice mais aussi d'être stimulé sur le plan intellectuel.

Un berger allemand bien éduqué et socialisé fait un animal de compagnie idéal et dévoué – malin, tolérant, énergique et sûr de lui. En revanche, ce chien intelligent dominera totalement un maître velléitaire, de sorte qu'il ne constitue pas un choix astucieux pour les personnes inexpérimentées ou peu actives. Comme son nom le laisse entendre, le berger allemand a été créé pour garder les moutons et a besoin de faire beaucoup d'exercice, aussi bien intellectuel que physique, pour tirer parti de sa personnalité.

Ce chien est naturellement fait pour les cours d'obéissance et l'agility et fait un compagnon sans pareil une fois qu'on a gagné son respect.

Créé au cours du XIXᵉ siècle à partir de divers chiens de berger allemands indigènes, le berger allemand a pris l'allure élégante que nous lui connaissons aujourd'hui au début des années 1900. Grâce à sa nature très docile et à sa flexibilité, il est devenu populaire comme chien de travail dans une vaste palette de rôles allant d'auxiliaire de police à guide d'aveugle. Du fait de son physique puissant et de sa taille imposante, ce chien doit être consciencieusement éduqué dès son plus jeune âge. Un dressage réussi et cohérent éliminera également toute tendance à la timidité. S'il a confiance en lui tout en restant enjoué, le berger allemand aura bon caractère.

Chez cette race, les différences entre mâles et femelles s'expriment aussi dans le physique : les mâles ont l'air « masculins » et les femelles « féminines ». Le standard stipule que la tête du berger allemand doit être « noble » et, si cette qualité semble difficile à définir, c'est un trait que les amateurs reconnaissent immédiatement. Elle est portée vers l'avant sur un cou relativement long. Les épaules tombent en une légère courbe vers un dos puissant et droit tandis que la puissance de la carrure du chien est transposée dans les membres antérieurs et la poitrine : de profil, il dégage une impression d'équilibre et de puissance.

Les bergers allemands doivent être continuellement occupés – de longues promenades régulières sont essentielles à leur bien-être et il faut également consacrer beaucoup de temps à leur éducation. Ce chien est trop grand pour rester enfermé dans des lieux restreints de sorte qu'un espace extérieur sécurisé est également souhaitable. Ce chien se sentira au mieux avec un maître actif au caractère aussi fort que le sien. Correctement éduqué, le berger allemand fait un excellent chien de famille.

OREILLES Très grandes, pointues et mobiles. Portées droites, le bord inférieur attaché au même niveau que les yeux, tournées vers l'avant. Les oreilles tombantes sont considérées comme un défaut.

YEUX De taille moyenne, en amande, foncés et expressifs, placés légèrement en oblique.

QUEUE Portée légèrement recourbée, longue, large et s'effilant très légèrement à partir de la base. Touffue et attachée assez bas.

TÊTE Puissante, bien dessinée et noble. Le museau doit être fort et long sans être fin. La truffe est grande et noire.

LIGNE DU DESSUS La ligne du berger allemand présente une courbe caractéristique, descendant à partir d'un cou puissant le long d'un dos droit vers un arrière-train musclé légèrement plus bas.

ROBE Pelage épais et brillant avec un sous-poil dense et doux et un poil de couverture plus long et plus rêche. Le berger allemand possède souvent un « manteau » de couleur plus foncée sur le dos.

MÉMO   EXERCICE 🐾🐾🐾🐾   ENTRETIEN 🐾🐾🐾   ÉDUCATION 🐾🐾🐾   PRIX DE REVIENT 🐾🐾🐾

Border collie

CARACTÉRISTIQUES

TAILLE Mâle, hauteur au garrot, 48-56 cm ; femelle, hauteur au garrot, 46-54 cm.

SILHOUETTE Chien de berger de taille moyenne, très athlétique, musclé et svelte, au regard concentré, exceptionnellement attentif.

ROBE Il existe deux variétés : à poil court et à poil modérément long, les deux à pelage double. Le border collie à poil modérément long possède un pelage plus long qui peut être légèrement ondulé mais qui reste épais et imperméable ; le border à poil court, le plus rare, possède un pelage plus court et peut avoir une légère crinière autour du cou. Presque toutes les couleurs et combinaisons de couleurs sont autorisées dans le standard de la race mais les plus courantes restent le noir et blanc, le marron et blanc et les robes tricolores.

SANTÉ DE LA RACE Chien de travail vigoureux et sain, le border collie peut parfois souffrir de dysplasie de la hanche et présente une prédisposition à certains problèmes oculaires et allergies cutanées.

LE PROPRIÉTAIRE DOIT... comprendre que ce chien n'a pas uniquement besoin d'un dressage attentif et de faire beaucoup d'exercice mais également de se voir confier un travail stimulant. Les border collies ne sont à conseiller qu'à des maîtres prêts à s'engager totalement.

Né pour garder les moutons, le border collie remplit ce rôle depuis des générations. Le mélange des races qui sont intervenues dans sa création faisant de lui le chien de travail par excellence est aujourd'hui inconnu, mais ses ancêtres auraient compté quelques épagneuls ainsi que d'autres chiens de berger. Intelligent, actif et dévoué à ses maîtres, le border collie fait un merveilleux animal de compagnie pour peu que ses maîtres soient prêts à lui consacrer beaucoup de temps et à faire des efforts.

Le border collie a été envoyé partout dans le monde comme chien de berger tant son talent est grand. Il possède un sens du travail instinctif : les propriétaires de border collies chiots les surprennent souvent en train de « jouer au berger », s'aplatissant au sol et dirigeant tout ce qui bouge autour d'eux dès leur plus jeune âge. La race a participé aux tout premiers concours de chiens de berger et excelle aujourd'hui non seulement dans cette épreuve mais aussi dans tous les exercices d'agility et d'obéissance et se distingue aussi dans les expositions canines.

Seul inconvénient du border collie comme animal de compagnie, il exige énormément de ses maîtres. Ils ont besoin de faire beaucoup d'exercice mais requièrent aussi une stimulation intellectuelle et sans un troupeau de moutons à leur faire garder, leurs maîtres doivent s'efforcer de trouver sans des idées pour occuper cet animal remarquablement intelligent. Beaucoup résolvent le problème en inscrivant leur chien à des concours d'agility ou de flyball ou encore en inventant des exercices et des tours à lui apprendre pour mettre au défi ses capacités intellectuelles. Un border collie qui s'ennuie peut devenir névrosé et destructeur ; il faut donc vous assurer que vous avez suffisamment de temps à consacrer à votre chien avant d'en acheter un.

En revanche, un border collie épanoui est l'un des animaux les plus gratifiants qui soit. Que le « travail » qu'il doit effectuer consiste à traverser une poutre dans un exercice d'agility ou à attraper un frisbee dans un parc, la concentration et l'entrain dont il fera preuve seront toujours un plaisir à regarder.

Cette race n'est pas très exigeante en termes d'entretien. Le border collie doit être brossé une fois par semaine pour éviter que ses poils ne s'emmêlent (et il perd relativement beaucoup de poils). Il peut mettre du temps à mûrir, son adolescence pouvant durer jusqu'à son troisième anniversaire. Il faudra donc sans doute attendre un peu de temps avant qu'il ne soit correctement éduqué.

OREILLES De taille moyenne et particulièrement mobiles : elles peuvent être portées droites, pliées ou complètement tombantes et constituent des indicateurs fiables du degré de vigilance du chien.

TÊTE Bien dessinée et s'effilant uniformément et modérément à partir du haut du crâne. La couleur de la truffe est en général assortie à la couleur principale de la robe.

YEUX Ovales et bien écartés, dans une gamme de couleurs allant du marron foncé au noisette (comme ici) ou bleus. Certains border collies ont les yeux vairons, c'est-à-dire un œil marron et un œil bleu, ce qui n'est pas considéré comme un défaut dans le standard de la race.

PATTES Longues et gracieuses par rapport à la stature du chien, assez fines bien que l'arrière-train soit large et musclé.

QUEUE Densément poilue, plutôt longue, se terminant par un petit crochet et portée bas, parfois à l'horizontale lorsque le chien est animé.

PIEDS Coussinets très épais sur des pieds compacts faits pour un exercice intense et prolongé. Les orteils sont bien cambrés et les ongles sont épais et forts.

 MÉMO EXERCICE 🐾 🐾 🐾 🐾 ENTRETIEN 🐾 🐾 🐾 ÉDUCATION 🐾 🐾 🐾 PRIX DE REVIENT 🐾 🐾

Berger d'Écosse à poil long

CARACTÉRISTIQUES

TAILLE Mâle, hauteur au garrot, 54-66 cm ; femelle, hauteur au garrot, 51-66 cm.

SILHOUETTE Chien de berger élégant à la face longue, au pelage flottant et au port gracieux.

ROBE Pelage dense, flottant, court seulement sur le visage et les pattes du chien. La fourrure forme une collerette épaisse autour des épaules et le sous-poil très dense fait se détacher le poil de couverture droit et dur. Quatre couleurs existent : sable et blanc, blanc, tricolore et bleu merle (un mélange de gris-bleu et de noir). Le berger d'Écosse à poil ras est identique au colley à poil long en tous points sauf sa robe, mais il est moins populaire et moins connu que le premier.

SANTÉ DE LA RACE

Généralement robuste, mais cette race peut être sujette à des problèmes oculaires, à la dysplasie de la hanche et à l'arthrite. En raison de la popularité du colley, il est particulièrement important de n'acquérir les chiots que chez un éleveur réputé.

LE PROPRIÉTAIRE DOIT...

avoir suffisamment de temps pour éduquer et toiletter son chien et lui faire faire de l'exercice. Le colley est parfois difficile à éduquer ; bien qu'ils soient intelligents, les jeunes colleys peuvent avoir du mal à se concentrer sur la tâche qu'on essaie de leur faire faire.

Appelé plus simplement colley, ce chien au pelage fourni possède un petit frère à poil court. Les deux sont identiques à l'exception de leur pelage, mais pendant de nombreuses années, le colley à poil long, popularisé par les films Lassie, est resté de loin le plus célèbre et le plus répandu des deux. Le mot *colley* fut à l'origine attribué à ce chien parce qu'il était élevé pour garder les moutons de race « colley » (à face noire) de son Écosse natale. Il est aujourd'hui encore un animal très populaire.

De nombreuses races de chien de berger en activité ont mis longtemps à devenir des chiens de compagnie, restant peu connues en dehors des communautés rurales pour quoi que ce soit d'autre que le travail qu'elles accomplissaient. Le colley fait figure d'exception : largement admiré pour son physique séduisant dès le milieu du XIXe siècle, ce chien servit régulièrement de modèle aux artistes (en particulier les peintres de l'époque victorienne proposant des versions très romanesques de la vie rurale en Écosse) et la reine Victoria elle-même élevait des colleys à Windsor en ayant rencontrés et admirés pendant ses vacances à Balmoral.

Les premiers colleys étaient un peu plus petits et moins élégants que les chiens d'aujourd'hui et on pense que du sang de barzoï aurait été introduit dans l'élevage à un certain moment vers la fin du XIXe siècle afin d'améliorer la beauté de ce chien. Dans les années 1890, il faisait des apparences régulières dans les expositions canines sous une forme très similaire à celle des colleys que l'on voit dans les expositions et les field trials modernes.

Le colley peut être long à éduquer (son adolescence dure longtemps, parfois jusqu'à sa troisième année) ; ce chien est loin d'être stupide mais a besoin de comprendre le bien-fondé et l'intérêt du dressage. On peut en général résoudre ce problème en organisant des sessions courtes et ciblées, avec de nombreuses récompenses et des encouragements positifs.

Le colley est naturellement dévoué à ses maîtres et à sa famille et aime passer tout son temps avec eux ; il se montre un peu suspicieux envers les étrangers et fait pour cette raison un chien de garde efficace. Il est gentil avec les enfants qui le respectent mais ne tolèrera pas que l'on se moque de lui, ayant une assez haute opinion de lui-même.

OREILLES Petites, triangulaires, entièrement frangées, le quart supérieur replié en avant en V.

YEUX En amande et placés en oblique. Marron cerclés de noir pour toutes les couleurs de robe à l'exception des chiens bleu merle qui peuvent avoir des yeux bleus ou vairons (un œil marron, un œil bleu).

TÊTE S'amenuisant vers un museau fin et relativement mince par rapport à la carrure du chien. La truffe du colley est toujours noire.

LIGNE DU DESSUS Dos long, formant une ligne absolument droite du bas de la collerette à la naissance de la queue qui part en continuation naturelle de la ligne du dessus.

QUEUE Longue, légèrement recourbée ou en tourbillon à l'extrémité et densément poilue. La queue est portée bas sauf si le colley est excité auquel cas elle se dresse au-dessus de la ligne du dessus du dos mais n'est jamais enroulée sur le dos.

PIEDS Petits par rapport à la taille du chien, avec des coussinets serrés, épais, râblés capables de marcher longtemps sur des terrains difficiles.

Welsh corgi pembroke

CARACTÉRISTIQUES

TAILLE Mâle ou femelle, hauteur au garrot, 25-30 cm.

SILHOUETTE Puissante et compacte, avec un dos long, de grandes oreilles droites et une allure vive et dynamique.

ROBE Sous-poil court et épais recouvert d'un poil de couverture long, rêche et imperméable. La robe peut être fauve, rouge, sable ou noir et feu, avec ou sans marques blanches.

SANTÉ DE LA RACE Le long dos des corgis peut être source de problèmes. La dysplasie de la hanche et certaines affections oculaires apparaissent également.

LE PROPRIÉTAIRE DOIT... s'engager à éduquer ce chien dynamique pour qu'il se comporte convenablement. Ce chien n'est pas fait pour les petits enfants, même si les corgis les aiment tout particulièrement, ils mordillent instinctivement et il est pratiquement impossible de les dresser pour qu'il ne le fasse pas.

Le pembroke est l'une des deux variétés de welsh corgi très similaires. Il est, de peu, le plus petit de ces deux chiens de berger court sur pattes et celui que possède la reine d'Angleterre. Ce chien bénéficie d'une longue histoire : on trouve des mentions de son existence au Pays de Galles au XIe siècle. Sa tendance à mordiller vient de son passé de berger car il rassemblait les bêtes en leur mordant le bas des pattes.

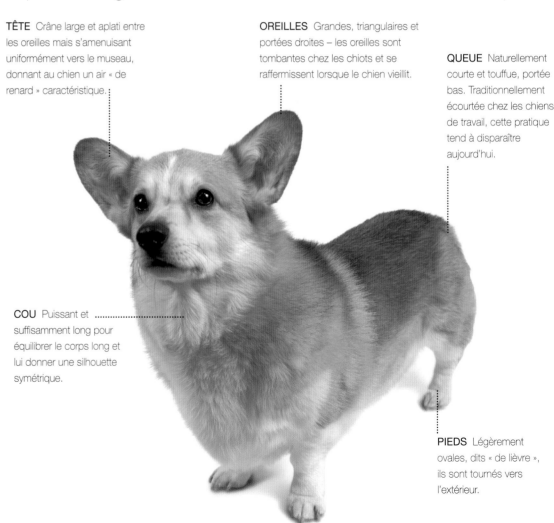

TÊTE Crâne large et aplati entre les oreilles mais s'amenuisant uniformément vers le museau, donnant au chien un air « de renard » caractéristique.

OREILLES Grandes, triangulaires et portées droites – les oreilles sont tombantes chez les chiots et se raffermissent lorsque le chien vieillit.

QUEUE Naturellement courte et touffue, portée bas. Traditionnellement écourtée chez les chiens de travail, cette pratique tend à disparaître aujourd'hui.

COU Puissant et suffisamment long pour équilibrer le corps long et lui donner une silhouette symétrique.

PIEDS Légèrement ovales, dits « de lièvre », ils sont tournés vers l'extérieur.

Welsh corgi cardigan

Le cardigan est le moins répandu et le moins populaire des deux welsh corgis. Identique d'apparence et de caractère à son frère, il est néanmoins un peu plus grand et sa queue beaucoup plus longue. De caractère un peu plus calme, il est moins enjoué et ouvert que le pembroke. Alors que ce chien est dévoué à ses maîtres, il peut se montrer réservé à l'égard des étrangers.

CARACTÉRISTIQUES

TAILLE Mâle ou femelle, hauteur au garrot, 26,5-32 cm.

SILHOUETTE Compacte et courte sur pattes, avec un corps long, une tête de renard et une expression vive et curieuse.

ROBE Poil de couverture raide et rêche sur un sous-poil doux et dense de couleur unie bringée, sable ou rouge, avec ou sans marques blanches, feu et noir, et noir marbré et gris (bleu merle).

SANTÉ DE LA RACE Comme le pembroke, le cardigan peut être sujet à des problèmes de dos et d'yeux et à la dysplasie de la hanche.

LE PROPRIÉTAIRE DOIT... avoir de la patience et du temps pour éduquer ce chien. Les corgis sont intelligents mais ont besoin de s'engager auprès leur maître. Ils doivent également faire beaucoup d'exercice.

TRUFFE Grande, carrée et noire avec toutes les couleurs de robe.

QUEUE Longue et entière, attachée bas. Portée basse lorsque le chien est au repos, elle se dresse à l'horizontale lorsqu'il en action et animé.

ROBE Pelage plus épais autour du cou du chien, formant une collerette petite mais bien visible derrière la tête.

PIEDS Les pieds avant sont grands et légèrement tournés vers l'extérieur (les pieds arrière regardent vers l'avant). Les coussinets sont épais et robustes.

MÉMO   EXERCICE 🐾🐾🐾🐾   ENTRETIEN 🐾🐾   ÉDUCATION 🐾🐾   PRIX DE REVIENT 🐾🐾

Bearded collie

CARACTÉRISTIQUES

TAILLE Mâle, hauteur au garrot, 53-56 cm ; femelle, hauteur au garrot, 51-53 cm.

SILHOUETTE Chien de berger au dos long, à l'apparence puissante, entièrement recouvert d'un pelage raide et imperméable.

ROBE Abondant pelage double couvrant entièrement le corps du chien ; sous-poil doux et serré avec un poil de couverture long, rêche et raide. De couleur noire, fauve, marron ou gris-bleu, avec ou sans marques blanches.

SANTÉ DE LA RACE Le bearded collie est un chien vigoureux mais on dénombre quelques cas de dysplasie de la hanche, de problèmes rénaux et de maladie d'Addison.

LE PROPRIÉTAIRE DOIT... faire preuve d'énergie et de patience pour éduquer et toiletter ce chien exubérant et lui faire faire de l'exercice.

Le bearded collie, ou colley barbu, race ancienne que l'on pense issue du croisement du berger polonais de plaine avec des chiens de berger de son Écosse natale, est un chien de travail dynamique qui fait un excellent animal de compagnie pour peu que ses maîtres disposent de suffisamment de temps pour lui faire faire de l'exercice et entretenir son pelage. C'est un chien gai et facile à vivre, qui aime s'amuser mais qui est relativement exigeant en termes d'entretien. Il a besoin de beaucoup d'espace et n'est pas fait pour vivre en ville.

TÊTE En-dessous des poils, la tête est large et carrée avec un museau blanc et une grande truffe noire aux larges narines.

LIGNE DU DESSUS La longueur du dos est supérieure à la hauteur au garrot du chien, le dos est droit et ne présente aucune cambrure ou arcure vers la queue.

YEUX Tout une gamme de couleurs, de très foncés à clairs, en général assortis à la couleur du pelage et bien écartés sur le visage.

OREILLES Longues et tombantes, couvertes d'une frange épaisse de poils. Elles se dressent ostensiblement quand le chien est excité.

PIEDS Ovales et robustes avec des coussinets épais et entièrement couverts de poils, même entre les coussinets et les orteils.

 MÉMO   EXERCICE 🐾🐾🐾🐾   ENTRETIEN 🐾🐾🐾🐾   ÉDUCATION 🐾🐾🐾   PRIX DE REVIENT 🐾🐾🐾🐾

Berger des shetland

Le berger des shetland ressemble beaucoup au colley à poil long bien qu'il soit beaucoup plus petit que ce dernier. Originaire des îles Shetland en Écosse, il est issu de colleys d'Écosse, peut-être croisés avec des bergers scandinaves. Comme le poney shetland, il s'est miniaturisé naturellement au fil des années. Malgré sa petite taille, c'est un chien de travail fort et robuste qui a besoin d'être sans cesse occupé et intéressé. Soigneusement éduqué, il fait un bon chien de compagnie et obtient souvent de bons résultats dans les concours d'agility, de flyball et de chiens de berger.

CARACTÉRISTIQUES

TAILLE Mâle ou femelle, hauteur au garrot, 33-41 cm.

SILHOUETTE Bien dessinée et élégante, typique des colleys, avec un pelage abondant et un regard vif et engagé.

ROBE Pelage double, le poil de couverture est droit, dur et bien détaché du corps. La robe peut être noire, bleu merle (un mélange de gris-bleu et de noir) et feu à marron foncé, avec ou sans marques blanches. Il existe également des chiens tricolores.

SANTÉ DE LA RACE Certaines tendances aux affections oculaires, à l'épilepsie, à la dysplasie de la hanche et aux allergies cutanées.

LE PROPRIÉTAIRE DOIT... être préparé à éduquer et socialiser totalement ce chien quand il est encore jeune ; les bergers des shetland peuvent être timides. Ils ont aussi besoin d'énormément de stimulation mentale et physique et d'exercice.

OREILLES Triangulaires et droites, elles sont rejetées en arrière lorsque le chien est au repos, lui donnant son expression légèrement inquisitrice caractéristique.

TÊTE Longue tête cunéiforme s'amenuisant graduellement vers la truffe en pointe.

YEUX Grands, en amande et disposés légèrement en oblique. En général foncés bien que les bergers des shetland à la robe bleu merle puissent également avoir les yeux bleus.

QUEUE Longe et portée pendante ou légèrement recourbée. Le pelage de la queue est long et très dense.

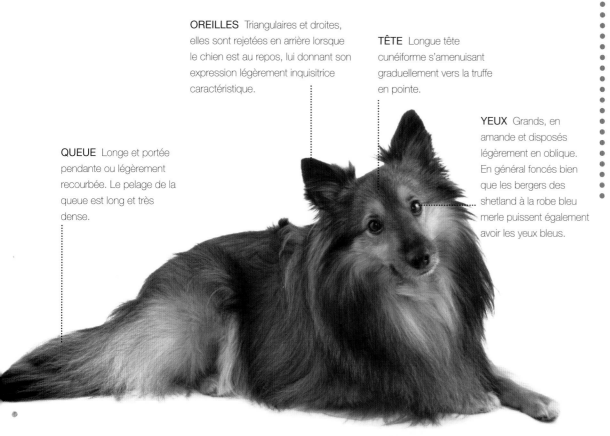

MÉMO   EXERCICE 🐾🐾🐾🐾   ENTRETIEN 🐾🐾🐾🐾   ÉDUCATION 🐾🐾🐾🐾   PRIX DE REVIENT 🐾🐾🐾

Bouvier australien

CARACTÉRISTIQUES

TAILLE Mâle, hauteur au garrot, 46-51 cm ; femelle, hauteur au garrot, 43-48 cm.

SILHOUETTE Chien de berger bien charpenté et robuste, qui reste suffisamment léger pour être agile, arborant une expression intelligente et très vigilante.

ROBE Pelage double court, dense et imperméable, le poil de couverture est serré contre le corps et légèrement plus long autour du cou, derrière les pattes et sous le ventre. La robe peut être truitée de rouge ou gris-bleu qui peut être uni, moucheté ou truité, parfois avec des marques feu ou noires.

SANTÉ DE LA RACE Vigoureux et robuste, mais le bouvier australien peut parfois souffrir de dysplasie de la hanche et de problèmes oculaires.

LE PROPRIÉTAIRE DOIT... s'engager à éduquer ce chien indépendant et à lui faire faire de l'exercice. Il doit aussi posséder suffisamment d'inventivité pour maintenir son engagement intellectuel.

Développé comme un gardien de troupeaux fort et robuste, le bouvier australien n'avait pas été beaucoup vu en dehors de son pays natal avant les années 1980, excepté lorsqu'il était importé spécifiquement comme chien de travail. Issu de *heelers* (« talonneurs » en anglais), sa méthode de travail traditionnelle consistait à rassembler les bêtes en les mordillant. Supérieurement intelligent, très actif et dynamique, il fait désormais des apparitions régulières dans les concours d'obéissance et d'agility.

La vie dans l'outback australien requiert un chien extrêmement robuste et endurant. Les premiers chiens gardiens de troupeaux introduits par les colons ne survécurent pas à la rigueur du climat et aux énormes distances qu'ils devaient parcourir. Afin de créer un chien qui pourrait effectuer ces tâches, les ouvriers agricoles menèrent des expériences avec un certain nombre de races. Le bouvier australien descend de chiens très divers dont notamment des smithfield oeelers aujourd'hui éteints, des bull terriers, des kelpies, des dalmatiens et des chiens indigènes, les dingos. Le mélange de ces races donna naissance à un chien efficace qui ne semble vivre que pour travailler. Le premier standard de la race fut rédigé dès 1893 et le chien fut officiellement enregistré en 1903, mais il fallut attendre encore 80 ans pour qu'il soit connu en dehors des frontières australiennes.

Les admirateurs de cette race louent sa remarquable intelligence et sa docilité. Cependant, les qualités qui en font un chien de travail exceptionnel le rendent assez exigeant comme animal de compagnie. Comme le border collie, ce bouvier n'a pas seulement besoin de faire beaucoup d'exercice mais requiert une dose au moins équivalente de stimulation mentale pour préserver son équilibre : en fait, il a réellement besoin de travailler. La nature de ce « travail » dépendra du maître qui peut choisir d'inscrire son chien à des concours d'agility ou d'obéissance, ou simplement lui apprendre un certain nombre de jeux complexes et toujours dynamique. Si l'entraînement reste suffisamment varié, le bouvier australien apprendra avec facilité et enthousiasme.

Calme et réservé, ce chien a tendance à s'attacher à une seule personne mais il sera affectueux avec toute sa famille immédiate. Il se montre timide à l'égard des étrangers et a besoin d'être profondément socialisé dès son plus jeune âge pour accepter de nouvelles personnes et s'entendre avec les autres chiens.

LIGNE DU DESSUS Droite, à partir de la base du cou musclé et bien développé, puis en légère courbe descendante au-dessus de l'arrière-train jusqu'à la naissance de la queue.

OREILLES De taille moyenne, bien poilues à la fois à l'intérieur et à l'extérieur, triangulaires et bien écartées, tournées légèrement vers l'extérieur.

TÊTE Fortement charpentée, les muscles étant bien dessinés et visibles autour des joues. Elle s'effile doucement vers une mâchoire et un museau puissant. La truffe est grande et noire.

YEUX Ovales et placés droits. Les yeux du bouvier australien sont toujours marron foncé et arborent une expression très caractéristique.

QUEUE Touffue et assez longue, attachée et portée bas mais elle peut être légèrement dressée lorsque le chien est animé.

PATTES Les membres antérieurs et postérieurs possèdent une ossature et une musculature solides mais ne sont ni trop lourds, ni trop gros : ils dégagent une impression d'agilité mêlée de force.

PIEDS Ronds et compacts avec des orteils courts et forts et des coussinets épais, résistants aux épines.

MÉMO EXERCICE 🐾 🐾 🐾 🐾 ENTRETIEN 🐾 🐾 ÉDUCATION 🐾 🐾 🐾 PRIX DE REVIENT 🐾 🐾

Briard

CARACTÉRISTIQUES

TAILLE Mâle, hauteur au garrot, 58-69 cm ; femelle, hauteur au garrot, 56-65 cm.

SILHOUETTE Chien de berger très grand et dynamique avec un corps puissant et musclé.

ROBE Pelage double, le poil de couverture est plat et long, légèrement ondulé, et le sous-poil fin et court. La robe peut être fauve, noire ou noire et blanche. Les oreilles sont souvent plus foncées chez les chiens de couleur fauve.

SANTÉ DE LA RACE Les briards sont des chiens vigoureux mais présentent une certaine prédisposition à la torsion-dilatation de l'estomac, à la dysplasie de la hanche et aux troubles oculaires.

LE PROPRIÉTAIRE DOIT... socialiser son chien avec précaution ; les briards peuvent se montrer un peu réservés et doivent être présentés à un grand nombre de gens et de situations quand ils sont encore jeunes. Ils ont également besoin de faire beaucoup d'exercice.

Le briard est un chien de berger traditionnel en France depuis des centaines d'années, mais au cours des derniers siècles, il a été également largement employé à de nombreux autres rôles. Pendant la Première Guerre mondiale, il était à la fois utilisé comme agent de liaison par l'armée française et comme chien de la Croix Rouge. Intelligent, dynamique et facile à éduquer, il fait un bon chien de famille et aime en général beaucoup les enfants, mais il peut se montrer distant avec les étrangers et a besoin d'être sérieusement socialisé.

TÊTE Longue, puissante et rectangulaire. Quand ce chiot sera adulte, sa tête sera couverte de poils beaucoup plus longs. La truffe est imposante et toujours noire.

OREILLES Larges et épaisses, attachées haut et d'une longueur au moins égale à la moitié de celle de la tête. Elles étaient traditionnellement coupées en pointe, mais elles sont de plus en plus présentées sous leur forme naturelle aujourd'hui.

LIGNE DU DESSUS Le dos du briard est long avec une légère courbure descendante vers la queue.

PIEDS Ovales, très grands et puissants, avec des coussinets épais et des orteils bien cambrés. Les ongles sont toujours noirs.

MÉMO   **EXERCICE** 🐾 🐾 🐾 🐾   **ENTRETIEN** 🐾 🐾 🐾   **ÉDUCATION** 🐾 🐾 🐾   **PRIX DE REVIENT** 🐾 🐾 🐾

Berger belge tervueren

Le tervueren est l'une des quatre races de bergers belges (les trois autres étant le malinois, le groenendael et le laekenois) qui étaient à l'origine considérées comme une seule et unique race. Il ressemble au berger allemand mais dans un format allégé. Remportant de nombreux succès dans les concours d'agility, ce chien à la grande faculté d'adaptation fait un chien de garde vigilant et peut être un bon animal de compagnie pour peu qu'on l'éduque correctement à l'obéissance et qu'on lui fasse faire suffisamment d'exercice.

CARACTÉRISTIQUES

TAILLE Mâle, hauteur au garrot, 61-66 cm ; femelle, hauteur au garrot, 56-61 cm.

SILHOUETTE Chien puissant et élégant, haut sur pattes avec une belle tête expressive et un comportement vif et dynamique.

ROBE Pelage double composé d'un sous-poil très épais recouvert d'un poil de couverture long et lisse. La robe peut être de toutes les teintes de fauve et de toutes les nuances de fauve et rouge charbonné, en particulier sur la face, les oreilles et le poitrail.

SANTÉ DE LA RACE Généralement bonne mais les tervuerens peuvent présenter une certaine prédisposition à la dysplasie de la hanche, à l'épilepsie et à des affections oculaires et cutanées.

LE PROPRIÉTAIRE DOIT... avoir suffisamment de temps à consacrer à l'éducation de son chien et pour lui faire faire de l'exercice. Ce chien a également besoin d'un toilettage régulier.

QUEUE Densément poilue et portée bas se terminant par un petit crochet. Elle ne se dresse jamais au-dessus du dos même lorsque le chien est excité.

TÊTE Longue avec une coloration plus foncée que le reste du corps. Les yeux sont marron foncé et en amande, positionnés bien sur les côtés du museau.

COU Le tervueren possède un cou relativement long, bien charpenté, ajoutant à l'impression générale d'élégance qu'il dégage.

PIED Bien dessinés, « de chat », avec des orteils et des coussinets serrés.

MÉMO   EXERCICE 🐾🐾🐾🐾   ENTRETIEN 🐾🐾🐾🐾   ÉDUCATION 🐾🐾🐾   PRIX DE REVIENT 🐾🐾🐾

Bobtail

CARACTÉRISTIQUES

TAILLE Mâle, hauteur au garrot, 56-61 cm ; femelle, hauteur au garrot, 51-58 cm.

SILHOUETTE Grand chien de berger robuste avec un pelage extrêmement lourd et exubérant et une démarche aisée, caractéristique, allant l'amble aux allures réduites.

ROBE Pelage double très épais avec un poil de couverture dur et hirsute bien détaché du corps et un sous-poil épais et laineux. La robe peut être de toutes les nuances de gris, gris-bleu ou grisonnée en général avec du blanc, souvent avec la tête, le cou et les pieds blancs. Les chiots naissent plus foncés, leur robe s'éclaircit en vieillissant.

SANTÉ DE LA RACE Chien vigoureux mais qui peut être sujet à une variété de pathologies, notamment dysplasie de la hanche, cataractes et autres problèmes oculaires. Certains bobtails sont fragiles de l'estomac. Ils ont également tendance à prendre du poids si on les nourrit trop, il faut donc surveiller leur alimentation.

LE PROPRIÉTAIRE DOIT... avoir de la patience pour éduquer cette race relativement longue à mûrir et beaucoup de temps à passer avec ce chien qui est très tourné vers les hommes et sociable et aime passer une bonne partie de son temps avec son maître.

Le bobtail ou berger anglais ancestral est une race de chien de berger populaire depuis le XVIIIe siècle en Grande-Bretagne ; on ne sait pas précisément quels chiens qui ont été utilisés au début de son élevage mais il est probable que du sang de berger hongrois et de berger russe ait été introduit dans des chiens de berger originaires d'Angleterre. Quoi qu'il en soit, ce chien robuste et fiable a été reconnu comme race à part entière dès 1888 lorsque que le premier club de cette race fut créé.

La queue de ce chien de travail, dont le nom signifie « queue coupée » en anglais, était invariablement écourtée même si aujourd'hui de nombreux chiens de compagnie conservent leur longue queue qui balaie le sol. Ce chien avait pour mission principale de conduire le bétail, gardant les moutons pendant leurs déplacements de pâturage en pâturage et aidant les bergers à les surveiller pendant la nuit. Compte tenu de cette fonction, on le pensait assez féroce, l'époque est passée depuis longtemps et le bobtail est aujourd'hui considéré comme un animal très affable et digne de confiance.

Grand et parfois gauche, ce chien a besoin de beaucoup d'espace et doit faire de l'exercice régulièrement. Le bobtail a tendance à flâner tranquillement plutôt que de courir et de consommer toute son énergie, il constitue donc un choix idéal pour les personnes aimant les longues ballades de loisir.

L'entretien de son pelage est contraignant car les deux couches de poils peuvent vite se transformer en un amas de nœuds inextricable si on ne le brosse pas tous les jours. Il perd également beaucoup de poils en fonction des saisons. Lorsque le bobtail est plus un animal de compagnie qu'un chien d'exposition, ses maîtres choisissent souvent de lui faire une coupe courte plus fonctionnelle en été – cela permet non seulement que le chien n'ait pas trop chaud mais aussi de le toiletter plus facilement et plus rapidement.

En termes de caractère, le bobtail adulte est calme, agréable et très affectueux. Il est gentil avec les enfants et semble souvent adopter une attitude de gardien envers « sa » famille, s'occupant de ses membres de manière presque maternelle – tendance qu'il faudra tempérer si le chien commence à prendre cette fonction trop au sérieux. Le bobtail est en général facile à éduquer et naturellement intelligent. Néanmoins, son adolescence est longue, certains bobtails ne mûrissent totalement que vers leur troisième année et conservent des comportements de chiot exubérant pendant plus longtemps encore

TÊTE Grande par rapport à la taille du chien, avec un stop bien marqué et une mâchoire carrée puissante.

LIGNE DU DESSUS Remonte légèrement en courbe du garrot vers le rein.

OREILLES Attachées plus haut que les yeux, de taille moyenne, bien recouvertes de poils et portées appliquées le long de la tête.

YEUX De taille moyenne, ronds, les yeux peuvent être marron foncé ou clair, bleu pâle ou vairons (un œil de chaque couleur).

PATTES Très droites et à la forte ossature, se terminant par de petits pieds ronds, bien dessinés avec des coussinets lourds et compacts.

MÉMO EXERCICE 🐾🐾🐾 ENTRETIEN 🐾🐾🐾🐾🐾 ÉDUCATION 🐾🐾🐾 PRIX DE REVIENT 🐾🐾🐾🐾

 # Puli

CARACTÉRISTIQUES

TAILLE Mâle, hauteur au garrot, 41-46 cm ; femelle, hauteur au garrot, 38-43 cm.

SILHOUETTE Chien de berger musclé et compact dont le corps est dissimulé par un pelage épais formant de longues cordelettes.

ROBE Les cordelettes se forment naturellement et doivent couvrir entièrement le corps du chien. Le noir uni et un noir rougeâtre sont les couleurs les plus fréquentes, mais la robe du puli peut aussi être grise et blanche de diverses intensités.

SANTÉ DE LA RACE Le puli connaît peu de problèmes de santé mais on dénombre quelques incidences de dysplasie de la hanche et de cataracte.

LE PROPRIÉTAIRE DOIT... avoir beaucoup d'énergie pour faire faire suffisamment d'exercice à ce chien de travail indépendant et disposer de temps pour assurer sa socialisation.

Le puli ou berger hongrois vient comme son nom l'indique de Hongrie où il était utilisé pour garder les moutons qu'il dirigeait en courant sur leurs dos. Son extraordinaire pelage forme une masse de dreadlocks naturelles – épaisses cordelettes de poils qui le protègent du froid et de l'humidité. C'est un chien de berger indépendant et intelligent, qui, convenablement éduqué et socialisé, fera un excellent animal de compagnie.

TÊTE Compacte et robuste, avec un museau puissant et des yeux profondément enfoncés dans les orbites. La truffe est toujours noire, quelle que soit la couleur de la robe.

DOS Large, avec une ligne du dessus droite entre la base du cou et la tête.

ARRIÈRE-TRAIN Très musclé et compact ; le puli est un très bon sauteur.

QUEUE Recourbée sur le corps et couverte elle aussi de dreadlocks.

MÉMO   EXERCICE 🐾🐾🐾🐾   ENTRETIEN 🐾🐾🐾🐾   ÉDUCATION 🐾🐾🐾🐾   PRIX DE REVIENT 🐾🐾🐾

Bouvier des Flandres

Développé à l'origine comme chien de travail polyvalent, le bouvier des Flandres a rempli diverses fonctions dans les fermes belges. Il ne fut pas seulement gardien de troupeaux mais également chien de trait, de garde et même de chasse. Il fut enregistré en tant que race après la Première Guerre mondiale et est aujourd'hui surtout élevé comme chien de compagnie et d'exposition. Il est intelligent et loyal mais peut se montrer prudent face à des situations inhabituelles ou avec les étrangers.

QUEUE Souvent naturellement courte (certains bouviers naissent même anoures) et généralement écourtée chez les chiens de travail bien que cette pratique soit illégale au Royaume-Uni et dans la majeure partie de l'Europe pour les chiens de compagnie et d'exposition.

OREILLES Attachées haut, densément poilues, larges mais pas longues, elles étaient écourtées en pointe droite chez les chiens de berger traditionnels.

TÊTE Entièrement couverte d'une épaisse fourrure, dont une moustache et barbe bien fournies.

PIEDS Les pieds avant et arrière sont tournés vers l'avant. Ils sont grands et solides avec des coussinets épais et des orteils bien cambrés.

CARACTÉRISTIQUES

TAILLE Mâle, hauteur au garrot, 62-70 cm ; femelle, hauteur au garrot, 60-67 cm.

SILHOUETTE Chien très grand à poils hirsutes à l'apparence sérieuse et de belle prestance.

ROBE Pelage double, le poil de couverture est extrêmement dur et même rugueux au toucher et de longueur moyenne et uniforme sur tout le corps. La robe peut être fauve, grise, bringée, sel et poivre, ou noire.

SANTÉ DE LA RACE Chien vigoureux et sain mais avec une légère prédisposition à la cataracte et autres problèmes oculaires et à la dysplasie de la hanche.

LE PROPRIÉTAIRE DOIT... faire preuve de volonté pour maîtriser et éduquer son bouvier des Flandres qui peut se montrer querelleur avec les autres chiens, et avoir de l'énergie pour lui faire faire énormément d'exercice.

 MÉMO　　EXERCICE 🐾🐾🐾🐾　　ENTRETIEN 🐾🐾🐾　　ÉDUCATION 🐾🐾🐾　　PRIX DE REVIENT 🐾🐾🐾🐾

Nouvelles races

Toutes les races ont débuté par le croisement d'une variété de chien avec une autre, qu'il soit délibéré ou accidentel. Les éleveurs de races établies depuis longtemps décrient parfois certains de ces nouveaux chiens car ils les considèrent comme des « races hybrides ». Cependant, leur popularité croît et la probabilité que certaines soient entièrement acceptées, avec leurs propres standards et expositions, augmente aussi. Ce chapitre propose une sélection de quelques nouvelles races parmi les plus populaires qui sont toujours « en cours de développement ».

Labradoodle

CARACTÉRISTIQUES

TAILLE En général 48-61 cm au garrot bien que certains croisements avec des caniches plus petits aient donné naissance à des chiens de plus petite taille.

SILHOUETTE Chien compact aux lignes bien dessinées, silhouette moins lourde que celle du labrador retriever mais un peu moins fine que celle du caniche.

ROBE Extrêmement variée mais en général légèrement ondulée ou frisée et avec une texture plus « laineuse » que celle du labrador. Le labradoodle possède rarement le pelage entièrement frisé caractéristique du caniche.

HISTOIRE RÉCENTE L'explosion de popularité qu'elle a connue n'a pas été favorable à cette race, certains chiens très médiocres ayant été utilisés comme reproducteurs pour générer des profits sans considération aucune pour les défauts ou les qualités de la race. Les futurs acheteurs recherchant un labradoodle doivent sélectionner un éleveur sérieux.

Apparu pour la première fois à la fin des années 1970, le labradoodle est le résultat d'expériences visant à créer un chien guide d'aveugle possédant un pelage hypoallergénique. Le croisement entre des labradors et des caniches standard (*poodle* en anglais) donna naissance à un chien intelligent, facile à éduquer et à la robe peu allergène. Un programme d'élevage de grande envergure existe en Australie, il utilise d'autres races pour tenter de créer le labradoodle idéal.

OREILLES Tombantes, de taille moyenne, uniformément couvertes de poils et portées contre la tête.

YEUX En général foncés bien que la couleur ambre ne soit pas inconnue. Ce chiot labradoodle possède le regard grave et expressif caractéristique de la race.

POITRINE Le caniche et le labrador possèdent une poitrine très descendue et le labradoodle présente lui aussi la cage thoracique bien développée typique à ces deux races.

ROBE Vaste palette de couleurs : sable, foie (comme ici), crème, argent et noir. La robe du labradoodle est en général de couleur unie.

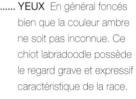

 # Puggle

Les amateurs de cette nouvelle race, croisement entre le beagle et le carlin (*pug* en anglais), pense que le puggle allie les meilleures caractéristiques des deux races dont il descend. Le museau un peu allongé est censé éliminer les problèmes respiratoires fréquents du carlin (et ses ronflements sonores), tandis que le tempérament doux et facile à vivre du carlin adoucit le caractère enthousiaste mais parfois hyperactif du beagle. Autre avantage, les puggles semblent n'hériter qu'occasionnellement de l'aboiement semblable à un hurlement si caractéristique du beagle.

CARACTÉRISTIQUES

TAILLE Mâle et femelle, hauteur au garrot, 30-41 cm, bien qu'elle puisse varier considérablement.

SILHOUETTE Petit chien enthousiaste et dynamique avec la robustesse du carlin mais des lignes plus légères et plus fines. La face est le parfait mélange des deux races alliant l'expressivité du carlin et ses grands yeux ronds à un museau plus long et moins de plis.

ROBE Pelage court qui perd relativement beaucoup de poils. En général feu avec un « masque » noir sur le visage, ou entièrement noir.

HISTOIRE RÉCENTE Race très récente qui a commencé à être connue il y a environ dix ans et serait plus le résultat d'un accident heureux que d'une expérience délibérée. Le puggle est apparu aux États-Unis et le premier à avoir été enregistré était né chez éleveur du Wisconsin.

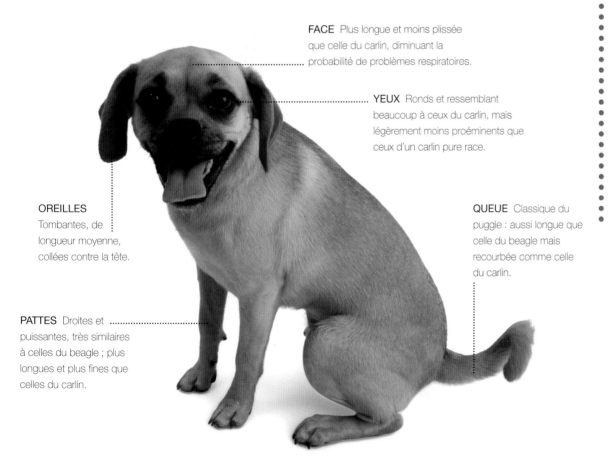

FACE Plus longue et moins plissée que celle du carlin, diminuant la probabilité de problèmes respiratoires.

YEUX Ronds et ressemblant beaucoup à ceux du carlin, mais légèrement moins proéminents que ceux d'un carlin pure race.

OREILLES Tombantes, de longueur moyenne, collées contre la tête.

QUEUE Classique du puggle : aussi longue que celle du beagle mais recourbée comme celle du carlin.

PATTES Droites et puissantes, très similaires à celles du beagle ; plus longues et plus fines que celles du carlin.

MÉMO   EXERCICE 🐾 🐾 🐾   ENTRETIEN 🐾   ÉDUCATION 🐾 🐾   PRIX DE REVIENT 🐾 🐾

Cockapoo

CARACTÉRISTIQUES

TAILLE Mâle ou femelle, hauteur au garrot, 23-46 cm ou plus. L'extrême variation est due au fait que le résultat dépend du type de caniche utilisé : toy, nain ou standard.

SILHOUETTE Chien compact, inscriptible dans un carré avec une grande tête ronde et un regard vif et intelligent. Les pattes et le corps sont bien proportionnés, le cockapoo ne semble ni haut sur pattes ni trapu, mais équilibré.

ROBE Ce chien peut avoir l'un des trois types de pelage suivants : serré et frisé, frisé et lâche ou plat (parfois légèrement ondulé), de toutes les couleurs ou combinaisons de couleurs.

HISTOIRE RÉCENTE Un certain nombre d'éleveurs travaillent ardemment pour faire accepter ce chien populaire comme une race à part entière. Ils ont créé à cette fin un « standard de race » pour le cockapoo.

Amical et facile à éduquer, le cockapoo ou cockerpoo, qui résulte du croisement entre le cocker spaniel et l'une des trois tailles de caniche (*poodle* en anglais), est devenu un animal de compagnie très populaire. Sa taille et le type de sa robe peuvent varier fortement mais ce chien est en général enjoué, ouvert et affable avec les enfants. Facile à vivre, le cockapoo a besoin de modérément d'exercice et d'un toilettage régulier pour que son pelage reste en bon état.

LIGNE DU DESSUS La ligne du dos est droite mais avec une légère courbe descendant vers l'arrière-train.

QUEUE Longue et bien couverte de poils ; portée dressée gaiement, au niveau de la ligne du dessus ou plus haut quand le chien est animé.

OREILLES Attachées au dessus de la ligne du dessus des yeux, longues et pendant collées contre la tête.

YEUX Ronds et écartés ; marron foncé chez les chiens à la truffe foncée et noisette clair chez les chiens à la robe plus claire.

MÉMO   **EXERCICE** 🐾🐾🐾   **ENTRETIEN** 🐾🐾🐾   **ÉDUCATION** 🐾🐾   **PRIX DE REVIENT** 🐾🐾

Schnoodle

Croisement entre un caniche nain (*poodle* en anglais) et un schnauzer nain, le schnoodle est considéré comme un bon choix pour les personnes souffrant d'allergies. La plupart de ces chiens héritent du pelage perdant peu de poils du caniche et provoquent moins de réactions que les races perdant beaucoup de poils. Les schnoodles possèdent l'intelligence des caniches mais, d'après leurs admirateurs, auraient aussi toutes les qualités, pouvant presque aller jusqu'à l'empathie, qui font du schnauzer un excellent compagnon.

TÊTE Légèrement rectangulaire avec un museau plus court et plus carré que celui du caniche.

QUEUE En général de longueur moyenne, légèrement effilée et couverte de poils frisés et ondulés.

OREILLES De longueur moyenne, pendant collées contre la tête, comme celles du caniche. Les schnoodles possèdent parfois les oreilles dressées caractéristiques du schnauzer.

ROBE Pelage épais, frisé ou ondulé avec une apparence duveteuse, légèrement hirsute.

CARACTÉRISTIQUES

TAILLE Mâle ou femelle, hauteur au garrot, 28-38 cm. Cependant, il existe des versions beaucoup plus grandes, créées en croisant des schnauzers géants avec des caniches standard.

SILHOUETTE Petit chien à la carrure carrée plutôt qu'élancée, avec une apparence ébouriffée et « délibérément négligée ».

ROBE Peut varier beaucoup selon les schnoodles ; en général de longueur moyenne et à la texture relativement rêche, légèrement ondulée ou frisée. La robe peut être noire, marron, grise, crème ou abricot ; elle est en général unique et unie.

HISTOIRE RÉCENTE La popularité du schnoodle, associée au fait que, comme d'autres nouveaux hybrides, il n'est reconnu par aucun des principaux kennel clubs, signifie que l'élevage peut être mené de manière inconsidérée. Renseignez-vous bien sur les éleveurs avant d'acheter un schnoodle.

MÉMO EXERCICE 🐾 🐾 ENTRETIEN 🐾 🐾 ÉDUCATION 🐾 🐾 PRIX DE REVIENT 🐾 🐾

Index